推进全域旅游实施三步走战略

（2017）

国家旅游局 编

中国旅游出版社

前　言

中国旅游业随着改革开放发端而起步，在党中央、国务院的坚强领导下，全国人民努力奋斗，使旅游业在短短的三十多年里实现了从无到有，从小到大的发展，实现了从旅游短缺型国家到旅游大国的历史性跨越。

发展理念是发展行动的先导。习近平总书记关于创新、协调、绿色、开放、共享的新发展理念，为推动我国旅游业发展提供了理论指引。2015 年，我们提出“开辟新常态下中国旅游业发展的新天地”,实施“515 旅游战略”;2016 年，我们提出“从景点旅游走向全域旅游，努力开创我国‘十三五’旅游发展新局面”；2017 年，我们提出“积极实施‘三步走’战略，奋力迈向我国旅游发展新目标”，分三步推进我国到 2040 年建成高度集约型世界旅游强国。有媒体形象地将“新天地”“新局面”“新目标”称为中国旅游“三部曲”。这种概括是否精当暂且不谈，这里拟说说有关“三步走”战略的几个要点。

一、实施“三步走”战略，是对五大发展理念的深入贯彻落实

面对全面建成小康社会决胜阶段复杂的国内外形势，面对当前经济社会发展新趋势新机遇和新矛盾新挑战，习近平总书记坚持以人民为中心的发展思想，鲜明提出了创新、协调、绿色、开放、共享的发展理念。新发展理念符合我国国情，顺应时代要求，在理论和实践上有新的突破，对破解发展难题、增强发展动力、厚植发展优势具有重大指导意义。

五大理念是我国经济社会全面发展的普遍指导原则，是“三步走”战略的引领性指针，“三步走”战略则是旅游领域贯彻五大理念的具体方式和途径。创新发展是“十三五”时期经济结构实现战略性调整的关键驱动因素，“三步走”战略本身就是发展理念的创新，也是发展模式的创新，是旅游转型升级的新方向。协调发展是全面建成小康社会之“全面”的重要保证，“三步走”战略是推进协调发展、提升发展质量的有效载体。绿色发展是实现生产发展、生活富裕、生态良好的文明发展道路的历史选择，实行“三步走”战略有利于发挥旅游作为资源节约型、环境友好型产业的优势。开放发展是拓展经济发展空间、提升开放型经济发展水平的必然要

求，“三步走”战略更加注重构建开放发展空间，走全方位开放之路，形成开放发展的大格局。共享发展是社会主义制度优越性的集中体现，“三步走”战略是释放旅游业综合功能、共享旅游发展红利的有效方式、路径。

二、实施“三步走”战略，是深入推进供给侧结构性改革的根本要求

我国进入大众旅游时代。旅游有效供给不足与井喷式旅游需求的矛盾十分突出。旅游领域的供给侧结构性改革不仅是我国社会经济发展的客观需要，也是我国旅游业和旅游目的地发展的迫切要求。

供给侧结构性改革不是一蹴而就的，其成效非一朝一夕可得，需要耗费大量的时间、精力、人财物的投入，我们要保持足够的耐心、韧劲，综合施策，分阶段推进。这既是我们提出“三步走”战略的核心判断依据，也是建设世界旅游强国的客观要求。

以旅游业供给侧结构性改革为主要抓手，我们提出了建成比较集约型旅游大国的基本路径，即以转型升级、提质增效为主题，以推动全域旅游发展为主线，加快旅游供给侧结构性改革，促进市场优化配置资源，增强产业动力，推进旅游业由低水平供需平衡向中高水平供需

平衡提升。在改革过程中，我们要客观对待经济发展的短期波动和下行，客观对待旅游业发展的面临的各种困难和复杂多变的国际经济政治形势，这也是全面深化改革、充分释放市场活力过程中所必须面对的，顺应产业发展的需求进行旅游综合改革，才能逐步完成建设世界旅游强国的宏伟目标。

三、全域旅游是实施“三步走”战略的有效途径

全域旅游的提出，是按照习近平总书记五大发展理念，系统总结中国旅游30多年来的发展实践，分析未来35年乃至更长时间中国旅游发展的大趋势所作出的战略选择，是我们实施“三步走”战略，建设世界旅游强国的必然途径和有效抓手。

实施“三步走”战略，核心是要推进旅游业转型升级，实现集约式发展，提升旅游业发展综合能力。这就需要依托全域旅游，统筹实施供给侧结构性改革，完善产业配套要素，提升整体服务水平，促进供需协调平衡；依托全域旅游拓展旅游发展空间，培育区域旅游增长极，构建旅游产业新体系，培育旅游市场新主体和消费新热点，提升旅游企业国际竞争力和品牌影响力；依托全域旅游推动区域特色化发展，促进景点景区内外协调，促

进城乡旅游互动和城乡发展一体化；依托全域旅游把生态和旅游结合起来，把资源和产品对接起来，把保护和发展统一起来，将生态环境优势转化为旅游发展优势，将绿水青山变成金山银山，创造更多的绿色财富和生态福利；依托全域旅游实现开放发展，更加注重拓展开放发展空间，打破地域分割、行政分割，打破各种制约，走全方位开放之路，全面提升我国旅游业的国际地位；依托全域旅游形成统一高效、平等有序的城乡旅游大市场，一方面带动广大乡村的基础设施投资，改善农村环境，建设美丽乡村，另一方面提升城市人口的生活质量，促进农村和城市人口的文明素质。

四、“三步走”不是“齐步走”

建设世界旅游强国是从粗放型发展走向集约型发展，从不均衡发展走向比较均衡发展的过程。“三步走”战略明确了我们建设世界旅游强国的路径，清晰地描绘了世界旅游强国的远景以及实现这个目标所需要经历的三个发展阶段。但我国幅员辽阔，各地自然禀赋、发展水平和文化传统千差万别，东、中、西部地区发展存在明显差异。在区域发展不平衡的现实国情下，完成建设世界旅游强国的指标任务在不同区域之间必然有先有后，不可能齐步走、一刀切，而是根据条件分批、逐步进入。我们不赞成脱离实际情况的蛮干，反对虚拟浮夸。各地都应扎扎实实按照中央的部署要求，一步一个脚印发展旅游。一些有条件的省份、市县着力建设旅游强省、旅游强市、旅游强县的主动性、积极性、创造性、务实性是十分可贵的，是值得充分肯定和高度评价的！我们积极鼓励有条件的地方在2040年建成世界旅游强国的征程中走在前列，率先建成一批旅游强省、旅游强市、旅游强县，为其他地区起到先导和探路作用，进而带动全国整体迈入世界旅游强国之列。

建设世界旅游强国，从总体上说强国必先强省，强省必先强市，强市必先强县。万丈高楼平地起！沙滩上建不起巨厦。没有大部分强县，不可能建成强市；没有大部分强市，不可能建成强省；没有大部分强省，不可能建成强国。不平衡地发展与发展的不平衡同样是客观规律。因此，“三步走”决不是“齐步走”！

“十三五”期间，我们的目标与任务是扎扎实实地走好第一步，由粗放型旅游大国发展成为比较集约型旅游大国。这需要我们以踏石留印、抓铁有痕的劲头，抓好“十三五”旅游业发展规划落实，深入推进全域旅游，加快提升旅游业发展的规模、质量、效益，为实施“三步走”战略、推进世界旅游强国建设奠定坚实基础。

功成不必在我，而建功必须有我！让我们在以习近平同志为核心的党中央的坚强领导下，在务实推进全域旅游，积极实施“三步走”战略，奋力迈向世界旅游强国的伟大事业中奉献一份实实在在的力量吧！

李金早

2017.1.23

目　录

第一篇　2017 年全国旅游工作报告

第二篇　部分省区市领导发言材料

第三篇　分组讨论情况汇报

第四篇 2017 年全国旅游工作会议总结

附 录

第一篇

2017年全国旅游工作报告

积极实施“三步走”战略 奋力迈向我国旅游发展新目标

——2017年全国旅游工作报告

（2017年1月12日）

李金早

十八届六中全会上，以习近平同志为核心的党中央，对全面从严治党、做好各项工作、迎接党的十九大等重大任务作出了部署。刚刚召开的中央经济工作会议，全面分析了当前国际国内经济形势，明确提出了今年经济工作的目标任务、重大政策和原则要求。上月初，国务院印发《“十三五”旅游业发展规划》，旅游业发展五年规划历史上第一次成为国家重点专项规划。

习近平总书记高度重视旅游业，对全域旅游、厕所革命、文明旅游、旅游扶贫、红色旅游等多次作出重要批示指示，亲自出席中日友好交流大会并作重要讲话；在吉林延边视察时明确提出“农村也要来一场厕所革命”；在全国卫生与健康大会上肯定厕所革命的重要意义和成果；在宁夏视察时指出：“发展全域旅游路子是对的，要坚持走下去”；在视察贫困乡村时，多次对旅游扶贫提出要求，寄予厚望；

先后四次为中韩、中印、中美等旅游年活动发贺信；2016年在与外国元首、政要高层会谈时28次谈及旅游合作，并宣布2017年举办中国—丹麦、中国—澳大利亚、中国—哈萨克斯坦旅游年，2018年举办中国—加拿大、中国—尼泊尔旅游年。

1月10日，李克强总理作出重要批示，充分肯定2016年全国旅游系统取得新成绩，实现了“十三五”良好开局，向旅游系统的同志们致以亲切问候，对新的一年全国旅游工作作出了重要部署；在去年的《政府工作报告》中提出“迎接正在兴起的大众旅游时代”；多次强调大力发展全域旅游、大力发展乡村旅游；出席首届世界旅游发展大会并发表重要讲话；指出“旅游产业不仅仅是服务业，已经覆盖一二三产业，本身就是综合性产业”；将旅游定位为“五大幸福产业”之首。

1月4日，汪洋副总理主持召开国务院旅游工作部际联席会议，对今年工作提出明确要求，同时向全行业的同志们表示亲切慰问；出席首次在华举办的二十国集团旅游部长会议和中美、中韩、中印旅游年开闭幕式、全国旅游系统劳模先进座谈会等活动；深入一线调研乡村旅游、旅游扶贫和自驾车房车营地建设。

我们今天在长沙召开2017年全国旅游工作会议，就是要深入贯彻落实习近平总书记系列重要讲话精神和党的十八大以来的重要部署，按照中央经济工作会议和旅游工作部际联席会议要求，总结“515 战略”实施以来的全国旅游工作，分析发展形势，推进“十三五”旅游业发展，明确发展目标方向。

为开好这次会议，我们先后召开了专家咨询会、务虚会及中国旅游智库座谈会，邀请了部分省区市的主管领导和旅游发展委员会（局）主要负责人，大家提出了很好的意见和建议。我们会前还广泛征求了各省区市旅发委（局）和部分企业的意见。

现在，我讲四个方面的情况。

一、“515 战略”实施两年来的回顾

党中央、国务院对旅游工作高度重视并充分肯定。“515 战略”（2015 年 1 月 15 日在南昌召开的全国旅游工作会议上，以《开辟新常态下中国旅游业的新天地》为主题的工作报告全面部署 2015-2017 年全国旅游工作重点，即紧紧围绕“文明、有序、安全、便利、富民强国”5 大目标，推出旅游 10 大行动，实施 52 项举措，此即“515 战略”）实施两年来，党中央、国务院出台的文件中有 62 个涉及旅游工作。我们与相关部委联合发布了 19 个旅游专题政策文件，推出一系列促进旅游业发展的重要举措。连续两年，

中央1号文件都强调要大力发展乡村旅游和休闲农业，积极推广“旅游+”等模式，推进旅游业与农业、林业等深度融合。各级党委、政府把旅游业摆到更加重要的位置，全国31个省区市都把旅游业作为战略性支柱产业加以优先发展，形成了地方党委政府主要领导挂帅抓旅游的良好格局。湖南、河北、江苏、山东、辽宁、江西、广西、安徽、山西、贵州、湖北、四川、海南、宁夏、青海、西藏、吉林、云南、甘肃、内蒙古、黑龙江等省、自治区纷纷召开旅游产业发展大会。各地对发展旅游尤其对发展全域旅游的认识普遍提升、热情空前高涨、力度明显加大、措施明显加强。

联合国世界旅游组织测算，2016年中国旅游业对国民经济综合贡献达11%，与世界平均水平持平。我国旅游市场量质齐升，人均出游近3.4次。2016年旅游总收入预计达4.69万亿元，同比增长13.6%。国内旅游人数继2015年首次突破40亿人次后，2016年继续两位数增长，全年有望超过44.4亿人次。国内旅游收入同样保持两位数增长，2016年预计达到3.9万亿元。入境旅游人数摆脱多年的徘徊局面，连续两年实现正增长，2016年预计达1.38亿人次，国际旅游收入1200亿美元，分别增长3.8%和5.6%，其中外国人接待人数2815万人次，增长8.3%。出境游呈现良性发展态势，2016年预计出境旅游人数将达到1.22亿人次，同比增长4.3%，入出境总人次超过2.6亿人次，入境游人数超过出境游 1600 万人次。我国继续保持世界第一大出境旅游客源国和第四大入境旅游接待国地位。全国旅游直接投资继 2015 年突破万亿元大关后，2016 年达到 12997 亿元，同比增长 29.05%，预计高出全国固定资产投资增速 20 个百分点。尤其突出的是，民营旅游投资积极性高涨，占旅游投资总额的 59%，继续超过半壁江山。旅游综合效应更加凸显，联合国世界旅游组织测算，2016 年中国旅游业对社会就业综合贡献超过 10.26%，与世界平均水平基本持平。旅游积极促进大众创业、万众创新，旅游扶贫效果明显。“515 战略”实施以来，估计全国超过 500 万贫困人口在乡村旅游带动下实现脱贫。在传统的“吃、住、行、游、购、娱”六要素基础上，正在形成“吃、厕、住、行、游、购、娱”和“文、商、养、学、闲、情、奇”旅游综合要素体系。初步形成观光旅游和休闲度假旅游并重、旅游传统业态和新业态齐升、基础设施建设和旅游公共服务共进的新格局。旅游业已融入经济社会发展全局，成为国民经济战略性支柱产业。

按照党中央、国务院的部署，我们积极践行五大发展理念，适应大众旅游时代新需求，主动作为，在旅游工作上取得“十二大突破”。

（一）全域旅游如火如荼，现代旅游治理机制建设取得突破

1. 我们先后在浙江桐庐、宁夏中卫召开全国全域旅游创建工作现场会。围绕如何发展全域旅游，形成瞄准“九大转变”，致力于“十大突破”，避免“八个误区”一整套发展体系。2. 分两批确定全国 500 个全域旅游示范区创建单位，包括海南、宁夏两省（区），91 个市（州），407 个县（市），覆盖全国 31 个省区市和新疆生产建设兵团。3. 全国已有 20 个省区市、158 个地（市）设立旅游发展委员会。一大批市县成立了旅游警察、旅游巡回法庭和工商旅游分局，有效缓解综合产业和综合监管需求与原有体制之间的矛盾。

在新发展理念引领下产生的全域旅游战略，得到了党中央国务院的充分肯定和全国上下的积极响应，各地迸发出实施全域旅游的巨大活力。全域旅游实施时间尽管不长，但在综合体制改革、现代旅游治理机制建设探索方面取得历史性突破，具有深远意义。

（二）多措并举，旅游供给侧结构性改革取得突破

2015 年初，我们成立国家旅游局旅游改革工作领导小组，明确了改革任务，加大了创新力度。

1. 创新政策供给。国务院出台《“十三五”旅游业发展规划》《关于进一步促进旅游投资和消费的若干意见》等系列重大政策。我们首次实施旅游休闲重大工程，包括旅游扶贫、旅游创新创业等 8 大类。同时，会同国土部、住建部出台《关于支持旅游业用地政策的意见》。2. 加快推进国家级旅游业改革创新先行区、跨境旅游合作区、边境旅游试验区建设。推出青岛、武汉、黄山等首批 20 个国家级旅游业改革创新先行区。协调解决上海、福建等 11 个自贸试验区涉旅政策。设立深圳、青岛两个“中国邮轮旅游实验区”。3. 制定跨省区市旅游发展规划。联合发改委制定《全国生态旅游发展规划（2016—2025 年）》，提出培育 20 个生态旅游协作区、建设 200 个重点生态旅游目的地的发展目标。牵头编制《浙皖闽赣国家生态旅游协作区规划》《长江国际黄金旅游带发展规划》《四省藏区旅游协同发展总体规划》《“重走长征路”国家红色旅游精品线路规划》。4. 加强法治建设。我们配合全国人大常委会、国务院法制办对《旅游法》《旅行社条例》进行修订。修订和废止 3 部规章。通过 4 项国家标准，9 项行业标准。5. 启动导游体制改革。在江浙沪等 9 省市正式启动导游自由执业改革试点工作。倡导在全国旅游巴士上设导游专座，使导游得以安全、尊严地履职，同时也提高了游客的安全保障，改善了导游与游客的关系，此项工作得到交通部的大力支持。这个问题连欧美一些国家也没有提上日程，受到欧美导游的追捧。6. 推动“放管服”改革。取消“领队证核发”“临时导游证核发”2 项许可项目和 1 项“导游人员从业健康证明”行政审批中介服务事项。7. 推动中国旅游协会完成换届、脱钩。

改革强，则产业强；改革进，则产业进；改革胜，则产业胜。全国旅游战线坚持问题导向，坚持找准制约旅游业科学发展的瓶颈、掣肘旅游业协调发展的弊端、影响旅游业全面发展的短板，精心谋划，敢啃硬骨头，纠正认识偏差，旗帜鲜明地倡导产业理念，改进方式，创新手段，活跃机制，充分调动方方面面的积极性、创造性。

（三）狠抓“旅游 +”，旅游主动与其他产业融合，促进产业结构调整、转型升级取得突破

1. 推进“旅游 + 互联网”。我们召开“旅游 + 互联网”大会，发布《“旅游 + 互联网”行动计划》。运用 PPP 模式，建设 12301 国家智慧旅游公共服务平台。完成了国家旅游产业运行监测与应急指挥平台建设，实现了重点景区、旅游团队、旅游大巴、导游领队等即时监管。2. 推进旅游 + 农业。与农业部共同推进乡村旅游和休闲农业，共同组织开展国家现代农业庄园创建工作，计划到 2020 年推出 100 个。3. 推进旅游 + 工业。召开全国工业旅游创新大会，推出首批 22 家国家工业旅游创新单位，到 2025 年，将创建 1000 个国家工业旅游示范点、100 个工业旅游基地、10 个工业旅游城市。4. 推进旅游 + 航空。与发改委、民航局合作，推出首批 16 个通航旅游试点项目。5. 推进旅游 + 交通。与发改委、交通部、公安部、国土部等部门共同推动自驾车房车旅游发展，启动了首批 514 个自驾车房车营地建设，2020 年将建成 2000 个。6. 推进旅游 + 中医药。与中医药局共同开展国家中医药健康旅游示范创建工作，用 3 年时间建成 10 个国家中医药健康旅游示范区、100 个示范基地、1000 个示范项目。7. 推进旅游 + 教育。与教育部共同印发《关于推进中小学生研学旅行的意见》，推出 10 家中国研学旅游目的地和 20 家全国研学旅游示范基地。出台首个《港澳青少年内地游学接待与服务规范》全国行业标准。8. 推进旅游 + 卫生。与卫计委共同开展医疗旅游健康旅游示范区建设。9. 推进旅游 + 体育。与体育总局共同制定《关于大力发展体育旅游的指导意见》，到 2020 年，在全国建成 100 个具有重要影响力的体育旅游目的地，建成 100 家国家级体育旅游示范基地，体育旅游总消费规模突破 1 万亿元。10. 推进旅游 + 装备制造业。与工信部、发改委等部门共同推动邮轮游艇、房车、低空飞机等旅游装备制造业发展。

我们正在从封闭的旅游自循环向开放的“旅游 +”融合发展方式转变，“旅游 +”正以强大活力与其他产业磨合、融合、组合，不断衍生新产品、新业态、新供给。这既为旅游业自身发展拓展了广阔空间，也为带动其他产业发展提供了巨大动能；既为旅游业自身的转型升级挖掘了潜力，也为整个经济结构调整注入活力。

（四）狠抓旅游投资，在强化旅游发展的要素保障上取得突破

1. 加强对旅游项目的金融支持。我们积极引导社会资本进入旅游业，连续两年在 5 月 15 日举办中国旅游投融资促进大会，对投资中国旅游业百亿元以上的部分民营企业家颁发“中国旅游产业杰出贡献奖（飞马奖）”。与国家开发银行等 8 家金融机构签订战略合作协议，“十三五”期间将为旅游产业发展提供 2.1 万亿元额度支持。与 10 家银行联合推出两批共 1397 个全国旅游投资优选项目，总投资 1.6 万亿元。2. 加大中央预算内投资对旅游项目的支持力度。“515 战略”实施以来，发改委安排国家专项建设资金 690 亿元支持旅游基础设施建设。3. 推动设立中国旅游产业基金。该基金总规模 500 亿元，首期 100 亿元。各地纷纷响应，湖北、重庆、云南、四川、江西、山东、广东等先后设立了规模在 20 亿元以上的旅游产业投资基金，浙江省设立了规模为 100 亿元的旅游投资基金，河北正在组建成立总规模为 200 亿元的旅游产业创新投资基金。

我国旅游发展曾经历过一个特殊的历史阶段。作为发展初期的目标，首先是创汇，当时的旅游属于外事接待型的事业，缺乏发展产业的客观条件。随着大众旅游逐渐兴起，旅游从外事接待型逐步转向以满足内需为主的行业，这才实质性地提出并具体部署旅游产业发展战略。

（五）狠抓乡村旅游，旅游扶贫和旅游富民取得突破

1. 政策扶持，汇聚扶贫合力。会同发改委、国土部、农业部等 11 个部门联合发布《全国乡村旅游扶贫工程行动方案》，实施乡村旅游扶贫八大专项行动。2. 开展资源普查，精确扶贫对象。对全国 12.8 万个建档立卡贫困村进行旅游资源普查，梳理出具备发展乡村旅游条件的贫困村 2.26 万个，涉及建档立卡贫困户 230 万户，贫困人口 747 万人。设立国家乡村旅游扶贫观测中心，推动乡村旅游精准扶贫、精准脱贫。3. 总结推广旅游扶贫模式。召开两届乡村旅游与旅游扶贫促进大会，推出乡村旅游“千千万万”品牌，总结推广景区带村、能人带户、企业 + 农户、合作社 + 农

户等旅游精准扶贫模式，推出500个旅游精准扶贫示范项目。4. 开展旅游扶贫带头人培训。两年共举办8期乡村旅游扶贫培训班，完成对2200多名旅游扶贫村村官的培训。5. 创新帮扶模式。开展旅游行业“万企万村”结对帮扶活动。组织全国300家旅游规划机构对560个试点村开展旅游规划公益扶贫行动。推动农业发展银行、中信银行等金融机构加大对乡村旅游和旅游扶贫项目的支持。6. 深入开展乡村旅游创新创业行动。建立60家“中国乡村旅游创客示范基地”，大力发展乡村旅游电商，推出乡村旅游“后备箱”工程。

2015年，我们提出“十三五”期间旅游带动全国1200万贫困人口脱贫，占全国贫困人口的17%。乡村旅游成为旅游扶贫的主阵地，旅游扶贫成为全国扶贫的生力军。各地涌现出一大批感人肺腑的旅游扶贫生动典型。旅游扶贫作为具有尊严的、开发式的、开放式的、产业发展式的扶贫方式，在我国扶贫领域显示出巨大的活力和强劲的生命力！为世界扶贫事业创造了新型模式！为旅游的功能拓展提供了生动实践！

（六）强力推进厕所革命和公共服务品质提升取得突破

1. 细化行动方案。我们出台《厕所建设管理三年行动计划》《旅游厕所建设管理指南》等系列文件。春节后上班第一天召开全国厕所工作现场会，两年来已成惯例，成为旅游“一号工程”。两年来全国新建改扩建厕所43663座，完成厕所革命三年行动计划（5.7万座）的76.6%。2.加强政策和资金引导。联合国土资源部、住建部推出旅游厕所用地保障的政策措施。加大财政转移支付对革命老区、民族地区、边疆地区、贫困地区厕所建设的支持。两年旅游发展基金共10.435亿元用于厕所建设。通报表扬101个厕所革命先进市。召开大型企业投身厕所革命座谈会。3.出台厕所建设标准。修订出台《旅游厕所质量等级的划分与评定》标准，科学配置坐蹲位、男女厕位比例，将旅游厕所质量等级标准与A级旅游景区、乡村旅游点、星级旅游饭店、全国旅游休闲示范城市等标准衔接。4.推动厕所科技应用。与比尔·盖茨基金会联合举办首届全国厕所技术创新大赛，推动解决孤厕、旱厕、冰厕及游客集中高强度使用等技术难点。5.开展厕所文明提升行动。倡导游客文明如厕行为，举办全国“百城万众厕所文明宣传大行动”“世界厕所日暨中国厕所革命宣传日”“全国旅游厕所革命万里行”等活动。6.加强厕所革命督导检查。先后赴黑龙江、河北、青海、福建、吉林等地开展暗访督查。

推进旅游安全法制机制化建设。出台《旅游安全管理办法》，开展“安全生产月”系列旅游安全大检查，及时发布安全预警提示，持续推进出境旅游保险保障体系建设。

加快补齐旅游公共服务短板。编制《“十三五”全国旅游公共服务规划》《“十三五”全国旅游信息化规划》，积极推动各地开展旅游集散中心、旅游信息发布、旅游交通、旅游紧急救助设施、旅游保险等公共服务建设，努力解决“断头路”和景区“最后一公里”问题。

厕所革命得到了党中央、国务院的高度重视，得到了各省区市党委政府的积极响应和大力支持，得到了国内外媒体和广大游客的高度评价，在全国已成燎原之势。厕所革命也成为旅游公共服务体系建设和文明旅游的切入点、引爆点、示范点。

（七）狠抓旅游市场整治，规范旅游秩序取得突破

1. 重拳出击，严厉打击“不合理低价游”等旅游顽疾。2016 年 2 月，国办出台《关于加强旅游市场综合监管的通知》。我们联合发改委、公安部、财政部等 12 部门组成 40 个工作组，对 31 个省区市开展专项督查，联合最高人民法院加强旅游景区等游客相对集中区域派出法庭建设和巡回审判工作，联合中央网信办开展“旅游网站严重违规失信”专项整治。实施依法治理旅游市场秩序三年行动计划，开展“不合理低价游”专项整治行动。组成 40 个工作组，对

31 个省区市开展旅游市场综合监管专项督查。2016 年共查处违法违规案件 1324 起，处罚 819 家旅行社。举办“抵制不合理低价游，明明白白去旅游”线上线下宣传活动，积极引导游客理性消费，下架 8000 多条涉嫌“不合理低价游”产品。约谈通报一批整改不力的企业，重点监管一批问题频发的企业。同时，建立中泰、中韩等旅游市场监管合作机制，去年上半年韩方取缔 68 家韩国旅行社的接团资格。与港澳台旅游部门共同规范内地（大陆）居民赴港澳台旅游市场秩序。

2. 健全旅游投诉机制。开通“我要投诉举报”平台，开发“全国旅游投诉举报和案件办理管理系统”，完善中国旅游诚信网平台，实现 12301 投诉电话对 31 个省区市移动、联通、电信三网全覆盖。快速受理处理游客投诉，在有效处理期内实现 100% 结案。

3. 启动景区动态管理机制，彻底打破 A 级景区终身制。我们对 3 家问题突出的 5A 级景区实施摘牌，对 19 家反映较大的 5A 级景区提出警告。组织全国 31 个省区市和新疆生产建设兵团旅游部门对全国 A 级景区进行专项整治，处理了 367 家 4A 级及以下景区，其中包括 55 家 4A 景区在内的 107 家 A 级景区被摘牌。与发改委联合开展景区门票价格专项整治，推出 1800 多家“全国旅游价格信得过景区”承诺单位，组织 2000 多家 5A、4A 级景区签订“三年不上涨门票价格”承诺书，旅游与价格部门建立了景区摘牌降级与门票价格调整联动机制。实施《景区最大承载量核定导则》，公布5A级景区最大承载量。

4. 大力弘扬文明旅游，推动不文明行为记录“长牙齿”。我们开展“文明旅游背包行”“文明旅游中国公民公约大家定”等系列宣传活动。成立“中国旅游志愿者”队伍。目前全国已有13.5万名志愿者，累计服务2万多小时。同时，加大不文明行为记录惩戒力度，建立健全旅游失信“黑名单”定期发布制度，目前，已公示76件旅游经营服务不良信息记录，25人被记入旅游不文明行为记录。我们还发布假日旅游“红黑榜”，并组织全国6000家旅行社自愿签订《旅行社诚信经营承诺书》。

长期以来，我们对旅游秩序存在着“不愿管、不敢管、不会管”的突出问题，广大游客和社会各界意见很大。针对这些长期存在的问题，我们按照党中央、国务院要求，敢于作为、重拳出击，取得了比较明显的效果。

（八）狠抓旅游外交，中国旅游国际影响力取得突破

1.2015年以旅游为平台创新举办“中日友好交流大会”。习近平主席亲自出席并作重要讲话。2.2016年由中国政府

和联合国世界旅游组织共同成功主办首届世界旅游发展大会，这是党中央、国务院着眼外交全局和旅游业发展作出的重要决定，是“中国倡议、中国创意、中国主导”的一次重大主场旅游外交活动。3. 成功举办“中美旅游年”“中韩旅游年”“中印旅游年”“中墨旅游年”“中国 - 中东欧旅游合作促进年”等上千场活动。4. 围绕“一带一路”国家战略，首次建立中俄蒙三国旅游部长会议、丝绸之路旅游部长会议等机制。5. 与一系列国家和地区举办 200 多场重点旅游交流合作，诸国元首出席，如埃及总统、哥斯达黎加总统、莫桑比克总统、汤加国王、柬埔寨首相。6. 首次开展旅游援外国际合作，增强我国旅游的国际影响力。未来 5 年中国对外实施 50 个国际旅游合作项目，这是中国旅游对世界旅游发展做出的承诺。

我国旅游积极作为，主动融入国家外交大局，发挥我国旅游资源优势，灵活运用旅游市场机制，有效影响国际旅游格局。

（九）狠抓入境旅游，扩大旅游出口取得突破

1. 创新建立国家—地方—企业—海外四位一体市场推广体系。推动成立长城旅游带等 18 个区域性旅游市场推广联盟，推出丝绸之路等十大旅游精品线路和世界遗产等 13

个国际旅游品牌，推出300种具有地域代表性和文化特征的中国旅游金牌小吃。2.在全球启动“熊猫走世界·美丽中国”旅游营销活动。组织“陆上丝绸之路”“海上丝绸之路”“古老长城”“天下黄河”等系列海外专项推广，组织参加德国柏林展、英国伦敦交易会、香港旅展、台湾旅展等30多场境外展会。在纽约等全球七大国际机场集中投放旅游广告。组织“千名美国游客游长城”等系列请进来活动。推进中国国际旅游交易会改革，更好地发挥地方和企业的积极性。3.改善入境旅游消费环境。联合财政部、商务部、海关总署、税务总局出台《口岸进境免税店管理暂行办法》，新增设广州白云、成都双流等19个口岸进境免税店。4.全面落实CEPA涉旅政策，开放港澳独资旅行社经营内地居民出境游业务。首次与澳门建立“促进澳门世界旅游休闲中心建设联合工作委员会”，支持澳门举办世界旅游经济论坛。协调推进横琴国际休闲旅游岛、平潭国际旅游岛建设。5.加大对港澳台市场开发力度。连续两年实施“港澳台青少年赴内地（大陆）游学工程”。首次举办内地旅游（港澳）嘉年华。支持举办内地与港澳邮轮旅游合作发展大会，协调推进粤港澳区域邮轮旅游合作。

面对反复出现的严重雾霾天气、汇率波动、恐袭频发、难民危机以及国际旅游客源地居民收入下降、消费低迷等多种不利因素，我们大胆创新、坚持不懈地采取了一系列行之有效的措施，打出一套促进入境游的组合拳，摆脱了入境游增长乏力的困局，2015、2016连续两年实现正增长，去年获得了外国人入境市场增长8%这一来之不易的局面。

（十）狠抓红色旅游，红色旅游的国际合作和红色旅游扶贫取得突破

1. 推动红色旅游国际合作。举办中俄红色旅游合作交流系列活动。推动将中共六大常设展览馆建成中俄红色旅游基地。2. 举办为期一个月的“重走长征路”等红色旅游系列主题活动。开展“铭记历史 圆梦中华”纪念世界反法西斯战争胜利暨抗战胜利70周年等红色旅游主题活动。3. 出台《红色旅游发展三期规划》及《“重走长征路”国家红色旅游精品线路专项规划》。4. 强化红色旅游扶贫功能。着力推动大别山区、中央苏区、陕甘边区等区域合作，支持老区经济发展。5. 加强红色旅游基础设施建设。两年中央财政共安排红色旅游发展资金26.4亿元，其中旅游基础设施和公共服务基础设施建设16.55亿元。涉及红色旅游的航线已达749条，公路、铁路运力进一步加大，红色旅游列车运营线路增至69条。

前十年，我国的红色旅游是打基础的阶段，新十年，我国红色旅游要调结构、上品质、创效益，包括要启动国际合作，推进红色旅游扶贫。

（十一）狠抓旅游数据中心建设和人才培训，旅游统计和旅游队伍建设取得突破

1. 国家旅游局数据中心已构建六大核心数据库，初步解决了长期无统计的被动局面。2. 举办第一届旅游业改革发展青年研修班。3. 继续实施“万名旅游英才”计划。两年累计培养6000多名旅游高级人才。4. 继续实施中高级导游“云课堂”研修项目。目前，注册学员28.4万人，学习总时长4.7万个小时。5. 联合教育部出台《加快发展现代旅游职业教育的指导意见》，完成对中高级导游等级教材、考试大纲修订及导游等级考试工作。6. 继续开展导游援藏、人才援疆工作，实施89个高级导游工作室项目。7. 编撰出版《世界著名旅游丛书》第一辑、第二辑。启动编撰《当代旅游学》《中外旅游大百科》。

随着国家旅游数据中心的成立和各地旅游数据中心的陆续组建，初步扭转了旅游统计严重滞后于国家旅游发展的状况；为解决“横向不可加，纵向不可比”的困境打下

了坚实基础；开始结束我国旅游统计数据无法与国际接轨的尴尬局面。同时，我们把培养旅游人才作为行业发展的基础性工程来抓，在旅游基础理论人才和应用研究人才的培养上、锻炼上、使用上采取了一些非常规的措施，为我国旅游业的未来发展培养、储备了一批复合型人才。

（十二）狠抓新闻宣传，在营造良好的旅游业舆论环境上取得突破

1. 建立和完善新闻管理平台，拓宽新闻传播渠道。我们改版升级中国旅游网，创办《中国旅游之声》和《旅游外交参考》。建立旅游新媒体宣传推广、中国旅游新闻网络、中国旅游视频资讯传播三大平台。2. 创新推出年度中国十大旅游新闻、十大旅游新闻人物和世界十大旅游新闻。3. 加强旅游重大热点宣传。主动与中央主流媒体对接合作，策划了一批重大新闻题材。2016 年，新闻联播共播出旅游新闻 59 条。4. 提升应对舆情能力。建立 24 小时全领域涉旅舆情监测平台和全国涉旅负面舆情通报制度。在“台湾 719 游览车事故”“新西兰地震”等突发事件的应急处置中第一时间应对，正面引导，有效消除负面影响。

我们采取多角度解读，多渠道推送，多平台发声，多方式宣传，引导社会形成对旅游业的客观评价和合理预期，稳定社会对旅游业的发展期望和积极预期，形成了有利于旅游业发展的社会环境。

加强党的领导，加强作风建设。加强党对旅游业的领导，加强旅游行风建设，是促进旅游业发展的根本保障。1. 抓好“两学一做”学习教育。认真学习贯彻党的十八大以来的重要决策部署精神和习近平总书记系列重要讲话精神，落实“五位一体”总体布局和“四个全面”战略布局，牢固树立“四个意识”，做到“四个服从”，维护党中央权威，从政治纪律、对党忠诚的高度去审视和检查对中央决策部署的落实。注重把业务工作与“两学一做”学习教育紧密结合。2. 较好完成中央专项巡视任务。根据中央统一部署，去年 3 月至 6 月，国家旅游局接受了中央专项巡视，紧扣巡视反馈提出的问题，逐条逐项抓好整改落实，加强党的领导和建设，坚持全面从严治党，确保整改取得实质性效果。3. 大力弘扬劳模精神，树立旅游新风尚。与人力资源社会保障部开展全国旅游系统先进集体、劳动模范和先进工作者评选表彰工作，表彰了 81 个先进集体，95 名劳动模范，45 名先进工作者。

以上成绩的取得，是以习近平同志为核心的党中央正确领导的结果，是全行业上下艰苦奋斗的结果。同时，我们也清醒地看到，我国旅游仍面临许多挑战和困难，我们将在下面分析。

二、对若干问题的认识

前年的工作报告中，我们讨论了五个认识问题（①旅游究竟是软实力还是硬实力？②是否存在所谓的“中国旅游贸易逆差”？③旅游业只富民不富财政吗？④旅游业对经济的贡献仅仅是消费吗？⑤“旅游六要素”能涵盖今天的旅游吗？）。“515 战略”实施两年来，随着实践的发展，大家在这些问题上逐渐形成了不同程度的共识，但也仍然有一些问题需要进一步厘清。在此，我们将讨论九个问题。

（一）如何认识全域旅游

全域旅游的实践如火如荼，各地创造了许多好的做法、好的经验，但在发展的实践中也出现了一些模糊认识，这需要我们予以澄清。

1. 就概念谈概念，望文生义。有的仅从名词上去理解，认为全域旅游就是处处建景点、处处建宾馆饭店、处处建游乐设施、处处建旅游综合体，这是不对的，不能片面理解“全”字。我们在很多场合谈过，全域旅游本质上是以新发展理念为指导的发展思路、发展模式，是发展战略的再定位。发展全域旅游核心是要从原来孤立的点和条条向全社会、多领域、综合性的方向迈进，让旅游的理念融入经济社会发展全局。科学准确地把握全域旅游的内涵，要紧密结合大众旅游时代背景和我国旅游业发展的实际需要来理解。

2. 发展全域旅游就不搞景区旅游了。这是对全域旅游的极大曲解。这是一个很奇怪的逻辑！相当于讲，我们要办好大学，就不要小学、中学了，何等荒唐！我们提出全域旅游从来就没有否定景点景区旅游模式的历史性作用和地位，也没有说过不搞景点景区旅游了。发展全域旅游，不仅不能放弃景点景区，而且要搞得更好，更科学、更成体系、更上品位。现在总体上说，景点景区不是搞多了，而是明显的供不应求。景点景区一要继续增加，二要提升品质，突出特色，数量、品质一起上。三要提高景区内对景区外的辐射带动作用，解决景区内外“两重天”的问题。

3. 运动式开发，遍地开花搞旅游。这不是发展全域旅游的宗旨。全面动员发展全域旅游的积极性可贵，但是要讲科学、讲规律、讲实效。

在此，我们还是要强调，发展全域旅游一定要避免“八大误区”。一是竭泽而渔、破坏环境。不顾实际情况和资源承载力，盲目开发、过度开发、掠夺式开发行为。二是简单模仿，千城一面、千村一面、千景一面。三是粗暴克隆，低劣伪造。四是短期行为、盲目涨价。五是不择手段，不顾尊严，低俗媚客。六是运动式、跟风式的一哄而起和大拆大建。七是重推介、重形式，轻基础、轻内容。八是在全域旅游改革中换汤不换药，换牌子不换体制，换机构不换机制，换人不换理念。

（二）如何认识旅游供给侧结构性改革

1. 旅游似乎不需要供给侧结构性改革。有人认为我国旅游产品太少，供不应求，所以旅游不存在供给侧结构性改革的问题。总的来说，旅游供给不足是存在的，但实际上，主要问题是有效供给不足，是旅游供给结构与市场需求结构不相匹配，或者说供需错配。随着大众旅游时代的到来，旅游消费需求日益多元，人们对旅游品质的要求越来越高，但目前很多上马的旅游项目仍然是靠人海战术、门票经济为生的观光型产品，靠综合消费、体验经济取胜的休闲度假产品供给不足，如邮轮、游艇、中医保健、低空旅游以及综合性度假产品非常稀少。旅游有效供给不足进而影响到了旅游市场需求。这些问题足以表明，旅游业要把供给侧结构性改革摆在重要位置抓紧抓好。

2. 简单地将旅游供给侧结构性改革等同于上新项目。有些地方一提改革，还是片面追求等级景区、旅游饭店、旅行社、乡村旅游点的数量变化，把上项目、建景区作为供给侧结构性改革，而对于已建成的旅游项目的产出、供给、效率和可持续的问题则关注不够，这不仅造成大量资源浪费、要素错配，而且成为有效供给不足、供给水平不高的主要原因。旅游业供给侧结构性改革，要注意搞活存量与做优增量并举，提升已有产品与开发新业态并重，防止盲目上马形成新的产能过剩。我们的改革思路必须从“数量导向”调整到“效率导向”上来，要通过以优化要素配置撬动旅游供给侧的改革，使其更加切合人们旅游消费升级的需求。

3. 旅游供给侧结构性改革主要是旅游企业市场行为，和旅游管理部门无关。认为旅游业市场化程度高，旅游产品供给和服务供给的内部竞争已经比较充分，旅游供给侧结构性改革的主体是旅游企业。事实上，我国旅游业产品供给既存在旅游企业产品的供给问题，也存在旅游公共产品的供给问题，包括公共设施、公共服务和公共政策等。旅游产业要实现从门票经济走向产业经济，从景点旅游走向全域旅游，对旅游公共产品的供给侧改革恰恰是其中最关键的环节。政府部门要为企业创造好的发展环境，让产业主体强身健体。我们需要通过体制创新、机制激活、政策激励，促使企业具有创新力和竞争力，只有这样，才能够提供有效供给，促进提高生产效益，形成供给侧改革的不竭动力。

（三）如何认识旅游投资

当前，旅游投资势头强劲，备受青睐。与此同时，在旅游投资方面也出现了这样和那样的一些认识问题，我们要认真分析，保持清醒。

1. 一味贪高求大。旅游业作为惠民产业，既有需要大资本进入的旅游休闲度假区、景点景区、高星级酒店等重资产项目，也需要适合小额资本进入的自驾俱乐部、家庭旅馆、农家乐、研学项目等轻资产项目，旅游投资既要引入“高大上”，也要拥抱“小创美”。“偏食”会让旅游业发展“营养不良”，危害很大。

2. 一味求快。有的对旅游项目的前期论证不充分就急忙上马，有的甚至破坏环境，不顾实际情况和资源承载力，盲目开发、过度开发，甚至在生态核心区大兴土木。还有的对旅游项目建设只求速度和形象进展，对建成后的市场前景和投资效益缺乏科学有效的估计。这是需要纠正的。

3. 借旅游之名行房地产之实。有些房地产企业借旅游开发之名低价圈占优质旅游资源，象征性地搞点旅游开发，十之八九搞房地产开发。可以说，这些项目既有可能成为当前房地产“去库存”的压力，也有可能成为旅游业“去库存”的负担，某些滨海城市滞销的主题乐园海景房就是很好的例子。这种“圈地”式的开发把长线投资做成了快销变现的套利模式，严重挤压了旅游发展的空间，必然不可持续。我们应该未雨绸缪，及时纠正。

（四）如何认识厕所革命

“515 战略”实施两年来，厕所革命不断深入，各地在厕所建设、技术革新、管理提升、如厕文明进步等方面均取得了丰硕的成果。但关于厕所革命仍然存在一些模糊认识。

1. 厕所革命仅是旅游部门的事。厕所革命虽然由旅游部门发起，但厕所革命的持续推进仅靠旅游部门的力量是远远不够的，需要全社会方方面面的参与，需要各级政府及相关部门，切实承担起按其职责应该完成的建设和管理任务；需要鼓励广大企业切实履行社会责任，投身厕所建设与管理；需要倡导社会经营单位和机关企事业单位，免费向游客、市民开放厕所；需要新闻媒体积极引导，正面宣传，形成全社会关注推动厕所革命的氛围；也需要广大游客尊重他人劳动成果，自觉爱护厕所设备、保持卫生，养成文明如厕习惯，形成文明健康向上的厕所文化。总之，厕所革命不能是旅游部门一家“独奏曲”，应当是全社会的“合奏曲”。

2. 厕所革命只要解决好景区厕所就行。当前，旅游发展正从景点旅游模式向全域旅游模式过渡。厕所作为旅游公共服务供给的重要环节，也要由景点模式走向全域模式。

厕所革命不仅是“旅游厕所革命”，更是全社会的厕所革命。游客对厕所的使用绝非只限于旅游景区，而是覆盖旅游目的地全域，既可能是城市商业街，也可能是乡村山路。我国厕所建设和管理历史欠账多，整体水平还很低，要想满足大众旅游时代游客的如厕需求，我们必须转变观念，让厕所革命普及景区内外，深入城乡。

3. 简单地将厕所革命等同于建厕所。这是对厕所革命目标的片面理解。我们在一开始部署厕所革命时，就明确“数量充足、干净无味、实用免费、管理有效”的目标，强调不仅要有数量指标，更要有质量和管理要求。有些建得还很不错的厕所，因为缺少管理人员，甚而没有管理人员，内部维护不善、卫生不达标，游客用起来依然是“臭味厕所”“脏乱差厕所”。厕所革命的成效如何，数量是一方面，但更重要的是游客如厕满意度。工作中，我们将厕所问题纳入 A 级景区复核标准。去年，10 家 4A 级景区被摘牌，一个重要原因就是厕所革命落后，管理不到位。

（五）如何认识旅游外交

“515 战略”实施以来，旅游行业在国家开放新格局中发挥积极作用，主动作为、主动担当，服务并融入国家总体外交。但在旅游外交的实践中，也出现了一些模糊认识。

1. 旅游不存在外交。认为外交只是外交部门的事情，与旅游部门无关，缺少开展旅游外交工作的主动性，这是一种无所作为的心态和不敢担当的表现。目前，我国出入境旅游市场已形成年均 2.6 亿人次的规模，尤其是我国出境旅游人群规模庞大，连续多年保持世界第一，世界各国都期待与我国开展旅游合作，以增加本国就业、提振本国经济，这为我国积极主动开展旅游外交创造了有利条件。旅游已从外交的边缘走向了外交的前沿。2015 年以来，中日友好交流大会、首届世界旅游发展大会、中美旅游年等系列旅游外交活动成功举办，频次密、规模大、规格高，在世界旅游领域产生了积极影响。

2. 旅游外交只是国家的事。认为地方参加不参加均可。从这两年旅游外交实践来看，只要主动作为，各地同样能够在旅游外交舞台上大展身手。比如，甘肃的丝路花雨、贵州的多彩贵州风、吉林的雪韵春光、安徽的天仙配、河南“功夫诗·九卷”等优秀旅游演艺节目都跟随系列旅游年走向国际，极大提高了当地旅游知名度。宁夏承办中美旅游高层对话，内蒙古承办首届中俄蒙旅游部长会议等，都办出了特色、办出了实效，既服务了国家外交大局，也有效提升了这些地方的国际声誉、丰富了海外对我地方旅游业的认知。诸如此类的例子很多，希望大家既做好旅游外交“参与者”，同时也做好旅游外交“推动者”，共同在旅游外交舞台上展示中国之美。

3. 旅游外交与市场拓展是两码事，不相干。把旅游外交办成纯粹的外交活动，与市场推广无关，你干你的，我干我的。事实上，旅游外交活动的作用之一，就是以外交拓展旅游市场。旅游外交的开展，能够为市场工作提供高层次平台，从而进一步拓展市场和基础。去年 5 月，首届世界旅游发展大会期间，各国领导人、旅游部门和国际组织负责人云集北京，北京、贵州、山西、湖南举办了形式多样、丰富多彩的旅游市场推广活动，效果非常好。2016 年是中美旅游年，我领导人亲自出席有关旅游外交活动，一些地方积极举办中美旅游宣传推广活动，有力推动了两国旅游市场发展，两国访问对方游客明显增加。

4. 一哄而上办外交。去年我们访问捷克时，捷方就提出，中国的好几个省都急着要同捷克旅游部签署旅游协议，捷方不知道该怎么办。有的地方认为，只有与国际旅游组织合作，活动才上档次，甚而出现被山寨国际组织“忽悠”的丑闻。外交无小事，旅游外交是我国总体外交工作的重要组成部分，应注重加强顶层设计，做好统筹协调。地方旅游部门开展外事活动，应严格遵守外事规定。

（六）如何认识旅游扶贫

在推进旅游扶贫的过程中，还存在一些错误的认识。

1. 旅游扶贫无法精准。这样的认识是片面的。旅游扶贫能否做到精准，关键要看是否抓住了三个重要环节：一是要把村选好。并不是所有的建档立卡贫困村都适合搞旅游扶贫，开展旅游扶贫必须要具备相应的资源、交通和市场等条件。二是要把项目做实。目前，基层在实际工作中探索创新出来了“两带两加”旅游扶贫项目，就是景区带村、能人带户、合作社 + 农户、企业 + 农户，通过景区、能人、合作社、企业等旅游市场主体的投资、运营来带动贫困户和贫困人口分享旅游收益，实现脱贫，这些都是好的旅游扶贫方式。三是要把利益分配机制搞精准。各地探索出了一批行之有效的方式。如河北涞水县政府一次性投入 1000 万元用于野三坡景区建设，每年由当年景区门票收入中提取 1000 万元，扶贫对象每人每年领取收益 1000 元。同时，大力发展旅游，增加财政收入，通过财政兜底对贫困户实行生活、医疗及住房保障也是精准扶贫的重要方式。

2. 将旅游扶贫等同于乡村旅游全部。旅游脱贫攻坚的战场主要集中在广大农村贫困地区，但是旅游扶贫并不是乡村旅游工作的全部，乡村旅游还有更加广阔的天地。从区域上讲，目前，全国 2.26 万个建档立卡贫困村是当前旅游扶贫攻坚的重点对象。而那些没有脱贫攻坚任务的地区，大力发展乡村旅游仍然是重要任务。从阶段上看，我们国家的乡村旅游整体上还处于转型升级的关键时期。发展阶段不同对乡村旅游的要求也不同，贫困乡村和地区要紧抓旅游扶贫，积极培育和发展乡村旅游。已经脱贫的乡村和地区，仍要大力提升乡村旅游水平，要注重转型升级，从旅游扶贫转入旅游富民。从产业上看，完善基础设施建设、完善公共服务体系不仅是旅游扶贫的需要，也是旅游产业加快发展、持续发展的必然要求。反过来，乡村旅游发展得越早、发展得越好，可以促进贫困地区越早实现旅游扶贫目标，越早转入旅游富民进程，效果也越好。

3. 旅游扶贫扩大化。有的地方并不具备发展旅游的基本条件，也要硬上旅游扶贫项目。这里，我们要强调，旅游扶贫不是万能的，不是所有的乡村都可以搞旅游扶贫。只有具备旅游资源和基本条件的乡村才能通过努力发展旅游实现脱贫。

（七）我国目前是否存在“旅游服务贸易逆差”？

旅行服务贸易不等同于旅游服务贸易，前者指广义旅行活动，后者仅指相对狭义的旅游活动。综合国际货币基金组织和联合国世界旅游组织的核算法则，旅行服务贸易支出包含停留时间超过 1 年、非旅客的刷卡花费，旅游服务贸易限定为跨境“停留时间不超过 1 年”的旅客花费。旅行服务贸易明显超出旅游服务支出范畴。目前被社会各界经常引用的我国际收支平衡表中的旅行服务贸易支出中至少有以下项目不属于旅游贸易支出范畴：留学生个人及家属花销，国人海外大病治疗、产子等花销总额，中国籍海外务工人员和驻外使馆、办事处等工作人员及其家属开销，国人海外巨额投资花费等。扣除以上各项，2015 年我国旅游服务贸易收入约为 1136.5 亿美元，旅游服务贸易支出约为 1045 亿美元，旅游服务贸易实际为顺差，顺差的总额是 91.5 亿美元。经测算，2016 年，我国国际旅游收入 1200 亿美元，出境旅游花费 1098 亿美元，旅游服务贸易顺差 102 亿美元。

（八）如何认识旅游体制改革

有的认为，成立旅游发展委员会不过就是旅游局换了个牌子，换汤不换药。关于这个问题，我还想再重复一句，我们今天推动旅游综合管理体制改革，就像三十多年前的撤地设市改革。当时，广东率先撤地设市，其他一些地方的同志不太理解，觉得级别还是一样，无非是脱了草鞋换皮鞋。但十多年乃至于二十多年过去后，大家看到广东发展起来了，一去考察，这才醒悟过来：原来是广东各地的管理体制、治理机制发生了变革。从地区行署到市，发展目标和指导思想完全不同。从过去对农村管理转变为对城市管理，从农民到市民，释放的信息就是要迈入城市化、工业化、信息化。其他许多地方多少年以后才赶紧撤地设市，脱草鞋换皮鞋。今天，我们推进旅游综合体制改革，释放的就是各级党委政府应当适应大众旅游时代及旅游已成为综合性产业的新形势、大力推动现代旅游治理体系建设的积极信号。

（九）如何认识旅游贡献

在2015年的全国旅游工作会上，我们对所谓的“旅游业富民不富财政”的认识进行过分析，在这里，我还想再举几个例子。2016年，张家界市旅游业增加值占经济总量的比重超过50%，旅游税收占全市财政税收的51.3%。浙江旅游小镇富民富财政，湖州“裸心谷”共121个床位，每个床位一年为财政贡献的税收就超过了10万元。除了旅游消费领域对财税直接贡献外，旅游投资领域对财税贡献也在不断提升。据估算，旅游直接投资和带动投资对财政综合贡献超过11%。同时，旅游投资将会带动相关产业快速发展，提升对财政的综合贡献率。旅游业既是综合性产业，也是一个平台性产业，旅游业本身不仅涵盖了多种行业，更是能够成为集聚各种要素、各种消费、各种业态的平台性产业。旅游业对财政贡献，除了旅游消费领域和投资环节的直接贡献，更多体现在旅游业带动相关产业和配套服务业的发展，产生了大规模的相关税收，带动其他消费及企业、个人所得税数目也更大。当然，有些地方旅游业还处于刚起步阶段，需要持续加大财政引导性资金投入及资本投入，暂时还没有看到财税方面的显著产出，但从长远发展来看，只要大力发展好旅游业，在财政方面的效应会凸显出来。我们在发展旅游业时，要算算账，以更宏观、更长远的视野来看待旅游业对财政的贡献。事实表明，旅游业不仅富民，也富财政。进而言之，旅游富民了，可以减轻财政负担，从另一角度看，不是富财政了吗？2011—2015 年，中央财政累计安排专项扶贫资金 1898.4 亿元，2016 年预算安排中央财政扶贫资金补助地方部分 660.95 亿元。地方各级财政每年也都要拿出大笔资金补贴贫困群众。如果通过旅游发展使越来越多的贫困群众脱贫致富，不是也减轻财政负担，进而富财政吗？

我们还要看到，旅游不仅具有经济贡献，还具有外交贡献、文化贡献、社会贡献、传播文明的贡献、促进开放的贡献、促进民族融合团结的贡献、促进人的全面发展贡献，等等。

三、实施三步走战略，奋力迈向我国旅游发展新目标

当前，关于我国旅游发展战略有两种观点。一种观点认为，我国旅游起步晚、基础差、底子薄、问题多、矛盾大，离实现世界旅游强国这一目标遥遥无期。另一种观点认为，我们已经是世界第一大出境旅游消费国，第四大入境旅游接待国，还拥有世界最大的国内旅游市场，世界影响力日

益增强，应该就算是世界旅游强国了，或者说，用不了几年就可以建成世界旅游强国了。还有人疑惑，为什么现在我们对旅游强国提的不多，是不是就不要建设旅游强国了？是不是过于保守了？是不是没有雄心壮志了？

应当说，这两种观点都是片面的。一种过于悲观，有点妄自菲薄。另一种过于乐观，有点妄自尊大。

其实，尽管中国旅游起步晚、底子薄，但经过改革开放30多年的艰苦奋斗，我国旅游业总体上说，初步具备建设世界旅游强国的一定基础。因此，我们不要过于悲观。

另一方面，我们也不要过于乐观。我国旅游业发展方式还较为粗放，资源利用效率不高，市场主体发育不充分，存在旅游管理体制、运行机制与国际不相适应，旅游公共服务与井喷式需求不相适应，旅游市场秩序与人民群众更加满意的目标不相适应等诸多问题。尤其是，我们现在连基本的厕所问题都没能有效解决好，基本的统计体系尚未建立，家底都没搞清楚，能说得上“强”吗？

建设世界旅游强国当然是我们的宏伟目标，需要坚持不懈地去努力实现。我们既需要志当存高远的豪情，又要有抓铁有痕、踏石留印的务实精神。我们要清醒地认识到，目前的“大”主要还是规模大。我们综合世界经济论坛《全球旅游业竞争力报告》等文献，从旅游产业、公共服务、市场治理、文明水平、国际合作、国际影响力、人力支撑、环境可持续性等多个方面，梳理中国旅游业整体实力以及和世界旅游强国西班牙、法国、德国、美国的差距。目前中国旅游业在世界上可以综合排到第 17 位，比 2013 年上升了 28 位。虽然整体名次有较大幅度提升，但更多的是依靠规模，很多质量和效益指标排名仍然靠后，还谈不上进入世界前列。与世界旅游发达国家相比，我们的整体发展水平不高，人均 GDP 刚刚超过 8000 美元，仅相当于美国的 14%，城镇化率达到 56%，中等收入人群 2.6 亿人，中等收入人群比重仅为 19%，人均出游 3.4 次，万人拥有铁路里程仅 0.88 公里，民用机场个数达到 206 个，平均 667 万人才拥有 1 个民用机场，通用机场数量达到 400 个，平均 344 万人才拥有 1 个通用机场，与发达国家还存在较大的差距。旅游产品结构不合理，观光产品多，休闲度假产品少；大众化、同质化旅游产品多，个性化、品牌化旅游产品少；满足吃住行的浅层开发多，针对游购娱的深度开发少。高端游客和消费外流问题突出。服务质量不高，不合理低价游、恶性竞争、强迫购物、欺客宰客、不文明旅游等现象时有发生。世界级旅游品牌和目的地少。缺乏世界一流的跨国旅游集团，全国两万多家旅行社的营业收入，还不到美国运通一家的 40%，日本交通公社的 50%。2015 年，全球最大旅游网站之一猫途鹰（Trip Advisor）公布的全球最佳目的地榜单中，中国大陆没有一地进入 25 强。全球十大酒店品牌，美国占 8 家，法国、英国各占一家，中国一家没有。我们的管理体制也明显落后于旅游业发展实际。从大众旅游时代来看，我们才刚刚进入。而西班牙从 20 世纪 50 年代开始，就迎来大众旅游时代，休闲和放松的旅游需求逐步成为主体需求。德国（西德）从 20 世纪 50 年代开始、法国从 20 世纪 60 年代开始逐步迎来大众化旅游，可见我们的差距之大。当然，发展都有个过程，我们要看到美国等也经历了粗放型发展阶段，美国旅游发展初期尼亚加拉瀑布景区就曾遭到很大的资源破坏。

综合比较西班牙、法国、德国、美国等旅游强国的发展历程，我们判断我国现仍处在对资源依赖较高的粗放型旅游大国阶段，从现在到迈入世界旅游强国行列，需要实施“三步走战略”。

三步走战略：第一步，从粗放型旅游大国发展成为比较集约型旅游大国（2015—2020 年）。第二步，从比较集约型旅游大国发展成为较高集约型旅游大国（2021—2030 年）。第三步，从较高集约型旅游大国发展成为高度集约型的世界旅游强国（2031—2040 年）。

具体从每一步的判断依据、具体目标、主要任务和基本路径来看：

第一步：从粗放型旅游大国发展成为比较集约型旅游大国（2015—2020）。

1. 判断依据：

预计到 2020 年建成比较集约型旅游大国。这一判断也是基于第一个百年目标，即建党一百年时全面建成小康社会。据一些国际研究机构测算，到 2020 年中国人均 GDP 将达到 1.2 万美元，相当于同期西班牙的五分之二、法国的十分之三、德国的十分之三、美国的三分之一。中国人均出游将达到 4.5 次，相当于同期德国二分之一、美国三分之二。中国城镇化率达到 60%，相当于同期美国城镇化率水平的四分之三。中等收入人数将达到 6 亿—8 亿人，中等收入人群比重将达到 44%，相当于美国的十分之七。中国每万人拥有铁路里程将达 1.08 公里，民用机场个数将达到 244 个，每 566 万人拥有 1 个民用机场，通用机场数量将达 500 个，每 276 万人拥有 1 个通用机场，跨入中等收入国家行列，消费需求结构将从生存型消费向发展型消费升级，从物质消费向服务消费升级。居民旅游消费个性化、特色化、休闲化、品质化、多样化更加明显，带动旅游休闲度假、康体养生、科普研学等产品供给不断优化，推动特色优质旅游服务和旅游综合环境不断提升。这一阶段，旅游集约型增长特点较为明显。旅游经济增长从单一的总量扩张向质量效益综合提升转变，增长动力从依靠资源要素扩张、人财物投入向依靠科技进步和旅游服务人员素质转变，旅游企业从依靠扩大资金投入向提高自主创新、增强品牌国际竞争力转变。这一步，相当于世界主要旅游发达国家从20世纪80年代中后期到21世纪初经历的发展时段。如法国1985年通过“山区法”、1986年通过“海滨法”，寻求旅游经济增长与自然环境保护的平衡发展，20世纪90年代，城市旅游、商务旅游、露营旅游、海水疗养旅游、冬季运动旅游、文化旅游产品体系已经趋于成熟。德国从20世纪90年代开始，市场集中度不断提高，途易等大型旅游集团创新能力和国际品牌竞争力更为凸显。西班牙从1992年开始启动全面质量管理计划、旅游品牌计划和旅游发展计划。

2. 具体目标：

——旅游经济稳步增长。城乡居民出游人数年均增长10%左右，旅游总收入年均增长11%以上，旅游直接投资年均增长14%以上。到2020年，旅游市场总规模达到67亿人次，旅游投资总额2万亿元，旅游业总收入达到7万亿元。

——综合效益显著提升。旅游业对国民经济的综合贡献度达到12%，对餐饮、住宿、民航、铁路客运业的综合贡献率达到85%以上，年均新增旅游就业人数100万人以上。

——人民群众更加满意。“厕所革命”取得显著成效，旅游交通更为便捷，旅游公共服务更加健全，带薪休假制度加快落实，市场秩序显著好转，文明旅游蔚然成风，旅游环境更加优美。

——国际影响力大幅提升。入境旅游持续增长，出境旅游健康发展，与旅游业发达国家的差距明显缩小，在全球旅游规则制定和国际旅游事务中的话语权和影响力明显提升。

3. **主要任务**：全面落实旅游业创新驱动、协调推进、绿色发展、开放合作、共建共享等方面任务。一是突出理念创新、产品创新、业态创新、技术创新和市场主体创新，推动精品景区建设、加快休闲度假产品开发、大力发展乡村旅游、提升红色旅游发展水平、加快发展自驾车旅居车旅游、大力发展海洋及滨水旅游、积极发展冰雪旅游、加快培育低空旅游。二是优化旅游业空间布局，做强 5 大跨区域旅游城市群、培育 20 个跨区域特色旅游功能区、打造 10 条国家精品旅游带、培育 25 条国家旅游风景道、推进 8 大类特色旅游目的地建设。三是加强交通基础设施建设，完善信息咨询等旅游公共服务体系，推动旅游各产业要素更新换代。四是从消费端倡导绿色旅游消费，从供给端强调绿色开发与节能减排。五是构建旅游开放新格局，实施积极的旅游外交战略，大力提振入境旅游，深化内地与港澳、大陆与台湾旅游合作，有序发展出境旅游，提高旅游业开放发展的深度和广度。六是大力实施乡村旅游扶贫工程，推进旅游业创业就业，规范旅游市场秩序，大力推进文明旅游，构筑旅游安全保障网，实施旅游服务质量提升计划，创造文明、安全、便捷、舒适、高效的旅游环境。

4. 基本路径：以转型升级、提质增效为主题，以推动全域旅游发展为主线，加快旅游供给侧结构性改革，促进市场优化配置资源，增强产业动力，推进旅游业由低水平供需平衡向中高水平供需平衡提升。

第二步：从比较集约型旅游大国发展成为较高集约型旅游大国（2021—2030 年）。

1. 判断依据：

预计到 2030 年建成较高集约型旅游大国。据一些国际研究机构测算，2030 年中国经济总量可能超过美国，人均 GDP 将达到 2 万美元，相当于同期西班牙的三分之二、法国的二分之一、德国的二分之一、美国的二分之一。中国人均出游将达到 7 次，相当于同期德国四分之三、美国八分之七。中国城镇化率将达到 65% 以上，相当同期美国城镇化率水平的五分之四。中等收入人数将达到 9.5 亿人，中等收入人群比重将达到 70%，相当于同期美国的五分之四。中国每万人平均铁路里程将达到 1.15 公里，民用机场个数将超过 300 个，每 461 万人拥有 1 个民用机场，通用机场数量将达 2000 个，每 69 万人拥有 1 个通用机场。这一过程将释放出巨大的投资和消费需求潜力，中国有望成为世界最大的消费市场，并对世界经济增长、贸易增长、投资增长等做出巨大贡献。有经济学家提出，2030 年我国将建成共同富裕社会。旅游成为普通百姓生活的刚性需求。健康生活、文明旅游成为内化追求，旅游环境友好型特征明显，旅游经济增长方式转为以质量效益为代表的较高集约型增长，主要依靠技术创新、人力资本积累、资源融合、规模效益、学习效应等因素形成的动力所推动，旅游产品品种较为丰富、服务质量较高、国际市场竞争力较强。这一阶段与当前世界旅游发达国家的水平较为接近。

2. 主要目标：

——旅游产业进入全球产业中高端。不断创新旅游新技术、新产业、新业态和新模式，拓展旅游新需求和新市场，具有一批有国际竞争力的大型旅游企业集团。

——旅游品质加速提升。旅游业为广大老百姓提供更高质量的就业、更高水平的收入、更高品质的异地生活。

——旅游创新氛围浓厚。旅游创新体系更加完善，实现旅游与现代科技的深度融合，旅游创业创新活力竞相迸发。

——国际影响力显著增强。旅游服务贸易顺差优势突出，入境旅游世界排名持续上升、出境旅游保持优势，进一步提升在全球旅游规则制定和国际旅游事务中的话语权和影响力。

3. 主要任务：一是加快推动旅游创新体系建设。二是加快培育旅游市场主体，优化旅游产业结构，推动旅游企业做大做强做精。三是加快推动“旅游 +”战略，促进旅游与相关产业深度融合发展。四是积极提升旅游发展质量，健全旅游市场秩序治理机制，提高旅游业整体效益，提升广大人民群众满意水平。五是全面推动现代科技在旅游业的广泛应用，提升旅游业的现代化水平。六是构建较为完善的旅游法治和政策体系。

4. 基本路径：推动科技、人才、资本、服务创新，推进旅游业从资源驱动和低水平要素驱动向创新驱动转变，坚持绿色发展，形成人与自然和谐的现代旅游新格局。

第三步：从较高集约型旅游大国发展成为高度集约型的世界旅游强国（2031—2040 年）。

1. 判断依据：

预计到 2040 年建成世界旅游强国。据一些国际研究机构测算，2040 年中国人均 GDP 可望达到 2.5 万美元，是现在水平的三倍以上，相当于同期西班牙的十分之七，法国的五分之三、德国的五分之三、美国的五分之三；中国年人均出游率将达 9 次以上，相当于或可能超过同期美国、德国水平；中国城镇化率将超过 80%，接近同期美国水平。中等收入人数将达到 11 亿人，中等收入人群比重将达到 85%，接近同期美国水平。中国每万人拥有铁路里程将达 1.32 公里。届时，中国在旅游产业、公共服务、市场治理、文明水平、国际合作、国际影响力、人力支撑、环境可持续性等多个方面指标有望达到或接近世界同期旅游强国水平，有些指标甚而领先世界水平。旅游业发展核心依靠技术创新、人力资本积累、资源融合、规模效益、学习效应等因素驱动的高度集约型特征明显。

2. 主要目标：

——科技和人才成为旅游业发展最重要的战略资源，创新成为旅游业发展的最核心因素。

——旅游劳动生产率、社会生产力达到世界一流水平，旅游经济发展质量高，资源利用非常高效。

——具有非常强的国际竞争力。拥有具有世界影响力的旅游企业品牌、国家和地区旅游形象，在世界旅游发展中具有广泛而深远的影响力。

——拥有一批世界一流的旅游科研机构、旅游高等院校和创新型旅游企业，成为全球高端旅游人才创新创业的重要聚集地。

——旅游可持续发展能力强。旅游业的市场环境、制度环境更加优化，为旅游业持续发展提供有力的保障。

3. 主要任务：一是加强旅游发展能力建设，全面提升旅游业对经济、就业和社会发展的贡献能力。二是全面优化旅游业发展的制度，全面营造有利于旅游创新创业的环境。三是加快旅游软实力建设，积极建设一批有世界影响力的国际旅游智库、旅游高等院校，培育高素质的人才队伍体系。四是加强旅游安全、健康与卫生建设，全面提升旅游保障能力。五是全面提升国家旅游形象和在世界旅游发展中的地位，增强在全球旅游发展中的全球话语权和各类规则的决策权。六是全面优化生态环境，提升旅游可持续发展能力。

4. **基本路径**：依靠完善的现代旅游创新体系和更加科学的治理机制，通过旅游促进人的全面发展，促进旅游质量、水平、效益、综合竞争力、旅游文明程度的提升。

2040 年我国迈入世界旅游强国行列之后，再经过十年奋斗，2050 年，新中国成立 100 周年之际，第二个百年奋斗目标实现之时，我国旅游业发展总量、发展质量、综合效益、比较优势、文明程度、国际影响将继续发展提升，主要指标位于世界前列，旅游业将在实现百年宏伟目标中发挥更加突出的作用，我国作为世界旅游强国的地位将更加巩固，并得到新的提升。

九层之台，起于累土。千里之行，始于足下。让我们将思绪拉回 33 年，拉回到今天，立足今天，干好今天，宏伟目标始于今天。

建设世界旅游强国，强国必先强民。没有文明水平持续提升、综合素质不断增强的国民，就不可能建成世界旅游强国。

建设世界旅游强国，强国必先强企。没有一大批创新能力持续提升、综合竞争力不断增强的世界级旅游企业，大量充满活力的中小企业，就不可能建成世界旅游强国。

建设世界旅游强国，强国必先强基。没有基础设施和公共服务供给能力持续提升、软硬实力不断增强的经济社会发展基础，就不可能建成世界旅游强国。

就我国来说，这些都不是一朝一夕之功。“十三五”期间，我们的目标与任务是扎扎实实走好第一步，由粗放型旅游大国发展成为比较集约型旅游大国。

四、2017 年全国旅游重点工作

——努力由粗放型旅游大国向比较集约型旅游大国转变

做好全域旅游工作，必须准确把握我国旅游面临的国际国内形势。从国际形势看，综合各方面预测，今年世界经济形势仍将处于缓慢复苏进程中。全球保护主义和内顾倾向抬头，部分国家逆全球化思潮上扬，美国政府换届，不少国家社会阶层分化严重、民粹主义大行其道，英国脱欧，难民危机等可能导致突发事件，主要经济体宏观政策变数加大，如去年 12 月 15 日美联储加息，其外溢效率还将持续。这类事件都需要我们密切关注，并深入研究对全球旅游特别是对我国旅游发展带来的影响和应对之策。

从国内形势看，2016 年我国经济运行继续保持在合理区间，国内生产总值预计增长 6.7%，增速依然在世界主要经济体中居于前列，就业形势总体较好，结构调整步伐加快，服务业比重持续上升，大众创业、万众创新蓬勃发展，发展新动能加速成长，新兴产业发展迅猛，居民收入稳定增长。同时，我国经济运行仍存在不少突出矛盾和问题，如产能过剩和需求结构升级矛盾突出，经济增长内生动力不足，金融风险有所积聚，部分地区困难增多等。对这些问题，我们要高度重视。2017 年中央将继续统筹推进“五位一体”总体布局和“四个全面”战略布局，坚持以提高发展质量和效益为中心，坚持以推进供给侧结构性改革为主线，适度扩大总需求，加强预期引导，深化创新驱动，促进经济平稳健康发展和社会和谐稳定。一系列治国理政的新思路新方略为旅游业发展创造了新良机、注入了新动能，旅游业加速转型升级既有宏观支撑、政策引领，也有行业优势、内生动力。

我国正进入大众旅游时代，居民旅游需求旺盛。全面建成小康社会有利于大众旅游消费持续快速增长。贯彻五大发展理念有利于旅游业成为优势产业。推进供给侧结构性改革有利于促进旅游业转型升级。综合判断，“十三五”时期，旅游业正迎来新一轮发展黄金期，并呈现消费大众化、需求品质化、发展全域化、产业现代化、竞争国际化五大趋势：同时，我们也要清醒地看到，当前及今后一段时期，旅游业仍处于矛盾凸显期，面临不少问题和挑战，主要表现在：旅游业发展的体制机制与综合产业和综合执法的要求不相适应，旅游产品质量提升和供给侧结构性改革的任务仍然较重，政策环境仍待进一步优化；旅游基础设施和公共服务明显滞后，补短板任务艰巨；游客的文明素质和从业人员的整体素质有待提升，市场秩序有待规范等问题比较突出。总之，我们2016年提出的15个不相适应的问题依然存在（1）现行旅游管理体制与“两个综合”（综合产业和综合执法）不相适应；（2）旅行社、饭店、景区及导游管理体系与旅游业的快速发展不相适应；（3）一些地方旅游市场秩序混乱与人民群众“更加满意”及扩大入境旅游的目标不相适应；（4）游客素质与旅游业的快速增长及国际旅游环境要求不相适应；（5）旅游产品和以厕所为代表的公共服务及交通等基础设施供给与旅游爆发式、井喷式市场需求不相适应；（6）游客对中国产品质量的信心、国内外税差及流通成本差别与强劲的购物需求不相适应；（7）我国旅游装备制造水平与激烈的国际竞争不相适应；（8）休假制度安排和人民群众休闲度假旅游需求不相适应；（9）旅游小统计与旅游大产业及国际通行规则不相适应；（10）旅游管理部门队伍建设、全行业队伍建设、从业人员素质与旅游科学发展的要求不相适应；（11）企业对门票经济的过于依赖与广大游客的承受能力和期待不相适应；（12）旅游管理体制、运行机制与国际规则不相适应；（13）旅游投资、经营环境与投资者、经营者的要求不相适应；（14）党委、政府及部门对旅游业的实际重视程度和工作力度与人民群众对旅游的需求、期盼不相适应；（15）旅游基础理论和应用研究与旅游高速发展的实践不相适应。旅游业改革发展任务依然艰巨，需要我们直面问题，勇于担当，发扬钉钉子精神，一步一个脚印，开拓进取，攻坚克难，不断解决旅游业发展中的问题。

2017 年是党的十九大召开之年，是我们推进由粗放型旅游大国向比较集约型旅游大国转变的关键之年，也是实施“十三五”规划的重要一年、推进旅游供给侧结构性改革的攻坚之年。按照中央决策部署，结合“十三五”旅游目标任务，2017 年旅游工作的总体思路是：全面贯彻党的十八大以来的重要部署，深入学习贯彻习近平总书记系列重要讲话精神，按照中央经济工作会议总体要求和国务院部署，坚持稳中求进工作总基调，坚持以推进供给侧结构性改革为主线，推进全域旅游，加快深化体制机制创新，提升融合发展能力，完善公共服务体系，增强旅游对消费、投资、扶贫、富民的促进作用，努力为稳增长、促改革、调结构、惠民生、防风险做出更大贡献！

2017 年全国旅游业发展的预期目标为：

力争实现旅游总收入超过 5 万亿元，同比增长 10% 以上。国内旅游人数超过 48 亿人次，增长 11% 以上；入出境旅游人数超过 2.65 亿人次；完成投资超过 1.5 万亿元，增长 20%。新增旅游就业人数 100 万人以上。带动扶贫 200 万人以上。三年厕所革命计划如期完成，“旅游 +”综合效应进一步彰显，旅游交通更为便捷，旅游公共服务更加健全，旅游投诉持续下降，市场秩序进一步好转，人民群众满意率进一步提升。在全球旅游规则制定和国际旅游事务中的话语权和影响力进一步增强。

以上是全国旅游业发展的总体目标，各地应当因地制宜，制定适合本地区实际的目标。

2017 年，我们要围绕“努力由粗放型旅游大国向比较集约型旅游大国转变”这一中心任务，大力推进全域旅游，实施 15 项重点行动。

（一）着力推进落实《“十三五”旅游业发展规划》，切实发挥《规划》纲领性作用

《“十三五”旅游业发展规划》由国务院印发实施，各省、自治区、直辖市人民政府、国务院各部委、各直属机构是责任主体，各级旅游部门要主动作为，把推动规划实施放在突出位置。各类规划、计划、政策的制定实施要服从和服务于规划实施。

1. 抓好《规划》的宣贯。各级旅游部门负责同志要带头认真学习，通过专家讲解、组织专题轮训班等多种形式，加强培训，把全行业的思想行动统一到规划确定的蓝图上。

2. 编制《规划》具体实施方案。各地区要结合本地实际制定具体实施方案或者专项规划，明确工作分工，落实工作责任。各地区要将这项工作作为近期重点，抓紧抓好。

3. 推动《规划》重点任务落实。《规划》中涉及本地区的重点任务和项目，各地旅游部门要在当地党委政府的统一部署下，主动担当、积极作为，大力推进。涉及不同地区，要加强地区间协调和合作，形成高效的工作推进机制。《规划》中明确由旅游部门牵头落实的，各地旅游部门要主动会同有关部门，结合本地实际创造性地提出具体的落实方案。

4. 加强《规划》实施评估监督。各地旅游部门要加强工作指导，帮助基层研究解决贯彻落实《规划》中的困难和问题，加大对困难地区、薄弱环节的支持力度。要加强《规划》实施情况评估。国家旅游局将适时组织对各地贯彻落实《规划》的情况进行督查督导。

（二）推进全域旅游发展，深化旅游综合体制改革

推进全域旅游是贯彻五大发展理念的重要途径，我们要切实推进由景点旅游模式向全域旅游模式转变，促进旅游发展阶段演进。

5. 继续推动旅游综合体制改革取得新突破。要围绕全域统筹规划、全域整合资源，全要素综合配置，全社会共

治共管、共建共享的目标，继续推动“1+3”乃至“1+3+X”旅游管理体制创新，实现从景点景区围墙内的“民团式”治安管理向全域旅游依法治理转变。开展旅游警察国际交流合作。创新规划理念，将旅游作为“多规合一”的重要引领之一，将全域旅游发展贯彻到城乡建设、土地利用、生态保护等各类规划中，不断优化城乡旅游综合环境。

6. 加快推进全域旅游示范区创建工作。推动出台《关于促进全域旅游发展的指导意见》，进一步明确全域旅游发展的方向、工作重点和保障措施。分类制定全域旅游示范区创建标准，组织开展全域旅游现场观摩和专题培训，指导好 500 家单位的创建工作。适时组织验收一批国家全域旅游示范区。兑现八项支持措施：（1）优先纳入中央和地方预算内投资支持对象；（2）优先支持旅游基础设施建设；（3）优先纳入旅游投资优选项目名录；（4）优先安排旅游外交、宣传推广重点活动，纳入国家旅游宣传推广重点支持范围；（5）优先纳入国家旅游改革创新试点示范领域；（6）优先支持 A 级景区等国家重点旅游品牌创建；（7）优先安排旅游人才培训；（8）优先列入国家旅游局重点联系区域。

7. 建立全国全域旅游全息信息系统，加强全域旅游经验交流。建立全域旅游示范区创建工作观测体系和全国全域旅游全息信息系统。继续召开全域旅游工作现场推进会。开展“书记、省长（市长、县长）谈全域旅游”系列高端访谈和宣传报道活动。加快建立国家全域旅游示范区联盟，交流分享创建经验，共同塑造全域旅游目的地品牌。

（三）推进“旅游+”，深化供给侧结构性改革

继续以“旅游+”为手段，培育旅游新业态，助推振兴实体经济。

8. 重点做好旅游与一系列领域和行业的融合发展。一是推进旅游+城镇化。建设一批旅游风情小镇和特色景观名镇。二是推进旅游+工业。制定发布《全国工业旅游发展规划纲要》和工业旅游标准。大力发展旅游用品、户外休闲用品、特色旅游商品制造业，创建一批旅游装备制造业基地。继续办好中国旅游产业博览会。三是推进旅游+交通。与交通部联合出台《关于促进交通运输业与旅游产业融合发展的若干意见》，落实《关于促进自驾车旅居车旅游发展的若干意见》，召开首届中国（国际）自驾车房车旅游博览会。与交通部共同制定国家旅游风景道标准，适时召开现场推进会。四是推进旅游+体育。深入实施《关于大力发展体育旅游的指导意见》，与体育总局共同召开全国体育旅游工作大会，推出一批体育旅游示范基地和重点项目。五是推进旅游+航空。与发改委、民航局联合发布第二批通用航空旅游试点项目。六是推进旅游+康养。制定出台《关于促进老年旅游健康发展的指导意见》，与卫计委联

合推动健康医疗旅游发展。七是推进旅游＋教育。加强研学旅游基地建设，推出一批精品示范项目。八是推进旅游＋环保。大力发展森林旅游和生态旅游，与环保部共同推出一批国家生态旅游示范区。九是推进旅游＋科技。推出“十大科普旅游基地”，建设一批科技旅游示范项目。编制《全国地学旅游发展纲要》，培育一批“地学旅游示范区”“地学旅游研学基地”。十是推进旅游＋林业，与林业部门一起促进林业旅游。同时，还要推进旅游＋牧业、旅游＋渔业、旅游＋水利，促进牧业旅游、渔业旅游、水利旅游，等等。

（四）深化厕所革命，促进完善公共服务体系

今年我们要实施厕所革命攻坚计划，巩固并扩大厕所革命成果，启动新一轮厕所革命行动。

9. 加大厕所革命工作推进力度。一是要保质保量地完成 5.7 万座三年厕所建设任务，确保厕所革命取得阶段性成果。继续在春节后上班的第一天召开全国旅游厕所工作现场会，这些相沿成习。二是继续举办中国厕所革命推进日活动、世界厕所日暨中国厕所革命宣传日活动。三是开展《厕所等级划分与评定》和“第三卫生间”建设等专项行动。四是推出《厕所革命新三年工作计划》，再建设 5 万座厕所。

10. 实施“补短板”计划，加快推进旅游公共服务体系建设。一是组织实施《“十三五”全国旅游公共服务规划》，

召开全国旅游公共服务工作会。二是发布《城市游客中心服务规范》，整合旅游集散中心、咨询中心。三是制订标准，加快推进重点旅游城市旅游观光巴士、自行车休闲绿道建设，提供城市便利游览服务。四是丰富中国旅游日的惠民措施，在中国旅游日推出景区门票减免赠送活动，推进旅游志愿者服务和旅游公益宣传教育。

11. 加快安全保障体系建设，提升旅游安全工作水平。一是召开全国旅游安全与应急管理工作会议。协调配合相关部门，加强对游客聚集场所、高风险旅游项目的联合监管，严防游客群死群伤事故。二是联合公安、交通运输、安监等部门开展“旅游包车”专项治理行动。三是利用“安全生产月”等时间节点，广泛开展旅游安全宣传，强化对旅游从业人员的安全培训教育。四是与保监会联合修订《旅行社责任保险管理办法》。开展“旅游保险宣传周”活动。

（五）拓展乡村旅游，充分释放旅游扶贫、旅游富民效能

我们要充分发挥旅游扶贫作为有尊严的扶贫和返贫率低的扶贫等综合优势。同时，通过大力发展乡村旅游，促进农民增收和农业供给侧结构性改革。

12. 大力推进旅游扶贫。一是持续抓好乡村旅游扶贫工程行动方案的落实。二是会同中国农业发展银行建立旅游扶

贫示范项目库，细化建档立卡贫困村资源普查工作，完善旅游扶贫对象档案。三是加大对乡村旅游扶贫重点村的指导，继续开展村官培训。四是继续开展旅游行业“万企万村”结对帮扶活动和旅游规划公益扶贫。五是召开第三届全国乡村旅游与旅游扶贫推进大会（“818大会”），推广“两加两带”旅游扶贫模式。六是大力支持民族地区、边疆地区发展，召开全国旅游援藏工作会议，继续做好旅游援疆工作。

13.大力推进乡村旅游富民工程。一是抓好即将出台的《关于促进乡村旅游持续健康发展的若干意见》贯彻实施工作。二是会同农业部抓好国家现代农业庄园创建工作，开展中国度假乡村、中国风情小镇创建工作。三是推进“后备箱”行动计划，推出一批乡村旅游示范基地和优质农产品采购名录。四是引导乡村旅游投资向多类型、多业态乡村度假产品拓展，2017年实现乡村旅游投资突破5000亿元，乡村旅游消费达到1万亿元以上。

（六）拓展旅游投资和消费，培育壮大旅游发展新动能

我们要立足发挥市场在配置资源中的决定性作用，注重优化旅游投资结构，加强对社会资本的引导，推进重点领域投资持续健康增长。

14.加强旅游投资引导。一是与发改委共同抓好《“十三五”旅游基础设施和公共服务设施建设规划》的实施，

共同推进“旅游休闲重大工程”建设，加大对厕所革命、中西部地区旅游基础设施及产业转型升级项目的支持力度。加大政府性资金对旅游业发展的支持和引导力度，与财政部建立旅游发展基金项目库。开展基金项目专项检查，修订《旅游发展基金管理办法》。二是召开2017中国旅游产业投融资促进大会（“515大会”），发挥中国旅游产业基金的平台和导向作用，支持企业牵头建立旅游产业基金发展联盟。三是会同国家开发银行等11家金融机构做好已公布优选旅游项目的落地支持工作，推出《第三批全国优选旅游项目名录》，引导对旅游重大项目和新业态项目的投资。建立更加紧密的银旅合作机制，制定《关于金融支持民间资本投资旅游的指导意见》。四是召开全国中小旅游企业座谈会，会同有关部门制定《促进中小旅游企业发展的指导意见》，研究实施中小旅游企业成长工程，推出一批中小旅游企业重点支持名单。

15.加强休闲度假等消费热点引导。一是召开全国度假旅游发展大会，推出第二批国家级旅游度假区。发布《国民旅游休闲发展年度报告》。二是会同发改委、财政部、交通部、公安部等制定《全国邮轮旅游发展总体规划》《关于促进游艇旅游发展的指导意见》。启动大运河风景道等25条国家旅游风景道规划建设，促进自驾车房车旅游发展。三是启动丝绸之路旅游带、长江国际黄金旅游带等10条国家精品旅游带建设。规划建设一批山岳、湖泊等特色旅游目的地。规划建设好香格里拉、太行山等20个特色旅游功能区。四是制定《国家湿地旅游示范区》《诚信旅游示范城市》《旅游休闲示范乡村》和《旅游休闲示范区》等标准。召开国家旅游示范工作会议，向社会推出首批国家旅游示范城市和基地。

16. 不断提升景区发展质量。一是召开全国景区发展大会，抓好景区质量等级评定新标准的贯彻，提升景区服务。二是研究制定《景区条例》，建立实施景区安全风险评估制度、景区经营负面清单制度、景区监管协调会商与联动制度、景区信用公示及"黑名单"制度、景区文明旅游引导制度等。三是建立完善进出有序的景区动态管理机制。继续开展对不合格景区的"摘牌"、警告等整治工作。四是建设"全国景区监测系统"平台，对景区进行实时监测，强化日常管理。

（七）着力推进整治旅游市场秩序和不文明行为，不断优化旅游消费环境

整治旅游市场秩序和推进文明旅游是一项长期工程，需要常抓不懈，久久为功。

17. 建立国家、省、市、县四级联动监管体系。国家层面，推动国务院旅游工作部际联席会议综合监管工作小组的职

能进一步强化。省级层面，推动各地党委、政府统筹旅游市场综合监管工作，加强对县市旅游市场监管工作的督查、考核与问责。市县层面，继续推动有条件地区设立旅游警察、工商旅游分局及旅游巡回法庭。在社会监督上，发挥游客对旅游服务的监督作用，利用大数据研判行业发展，建立“中国旅游住宿业景气指数”。在行业自律上，发挥龙头企业对市场的维护和引领作用，发挥协会行业组织的自律作用。

18. 继续开展“不合理低价游”专项整治。强化旅游质监执法力度，严刑峻法打击组织“不合理低价游”旅游企业。综合“价格、税务、审计、电子监控、等级评定、理赔”等各种手段，设立旅游市场秩序“重点监管区”“重点监管企业”，加强旅游购物长效管理，推动各地试点建立旅游购物退货监理中心。持续深化中泰旅游市场监管合作机制，建立中日等旅游市场监管合作机制。加强内地与港澳，大陆与台湾共同整治市场的力度。密集开展抵制“不合理低价游”宣传活动，广泛开展“不合理低价游”游客事迹征集活动，以案说防、以案施教。

19. 继续抓好文明旅游正面宣传和不文明旅游及旅游失信惩戒。一是开展“文明如厕微信创意大赛”“文明旅游创意 H5 全国征集”等活动，确立中国文明旅游形象标识体系，把“为中国加分”塑造成文明旅游的闪亮品牌，把“中国旅游志愿者”打造成践行文明旅游的重要力量。二是继续加大不文明行为记录惩戒力度，建设全国旅游市场信用信息公示系统。开展不诚信经营“黑名单”升级行动，完善守法诚信褒奖机制，建立诚信旅游企业“红榜”，建立旅游消费警示制度。

（八）深化导游体制、旅行社体制等专项改革，增强发展动力

20. 深化导游体制改革。2017 年底全面完成改革试点工作，加快推进全国性改革，切实推动导游由旅行社委派的封闭式管理体制向导游依法自由有序流动的开放式管理转变。推进领队体制改革，完善相应管理办法。举办全国导游大赛，提升导游综合素质。

21. 启动旅行社体制改革试点。出台旅行社体制改革试点意见，适时召开全国旅行社体制改革工作会议。推动旅行社从“低价竞争型”向“品质竞争型”转变，从粗放式初级管理向精细化、智能化管理转变。

22. 抓好旅游业改革创新先行区等建设。制定《旅游业改革创新先行区管理办法》，创建第二批 20 个改革创新先行区，加快推进跨境旅游合作区和边境旅游试验区工作，建立健全动态管理机制。全面梳理 11 个自贸区的涉旅政策，为其他地区形成可复制、可推广的经验。

23. 加强法制保障。认真贯彻落实《旅游法》和《关于依法兴旅、依法治旅的意见》，加快与《旅游法》配套的制度建设。推动各地旅游部门对旅游条例的修订，抓紧推动制定《旅游法》授权地方的法律文本。

（九）拓展旅游外交与旅游推广，塑造“美丽中国”旅游形象

围绕“一带一路”国家战略，充分发挥旅游交流合作优势，推动入境旅游市场持续稳定增长。

24. 办好旅游外交重点活动。一是筹办“一带一路”国际合作高峰论坛等重要主场外交活动的配套旅游活动。二是认真办好 2017 年中国—丹麦旅游年、中国—澳大利亚旅游年、中国—哈萨克斯坦旅游年、中国—东盟旅游合作年各项活动。三是承办好联合国世界旅游组织（UNWTO）第 22 届全体大会（成都）、首届中国—东盟旅游部长会议等活动。

25. 深化双多边旅游合作。一是办好中美旅游高层对话、中日韩三国旅游部长会议、中俄蒙三国旅游部长会议等 20 多项重要双多边旅游活动。二是继续推进中国公民组团出境旅游目的地（ADS）相关工作，不断提升中国公民团体旅游便利化水平。三是从国家层面积极探索组建以我为主导的国际旅游组织，增强我国际旅游话语权和规则制定权。四是与联合国世界旅游组织等继续加强合作。

26. 加大入境旅游推广力度。一是完善旅游推广机制，

进一步发挥旅游市场推广联盟作用，优选部分联盟项目先行先试，加强政策、资金扶持力度。组织好“万里茶道”欧洲旅游推广、“美丽中国—世界遗产”美洲旅游推广、“美丽中国—冰雪之旅”东南亚联合推广、“美丽中国—高铁之旅”京津沪高铁联盟印度推广四个重点联合推广活动。二是继续开展全球“熊猫走世界·美丽中国”营销活动，扩展至美洲、亚洲、大洋洲主要客源国。三是继续实施市场倍增计划，集中推广“中国十大国际旅游品牌”和“中国十大旅游精品线路”，升级改版中国旅游海外推广网站，加大我国政策、旅游服务、签证便利化措施等对外宣传力度。

（十）深化内地与港澳、大陆与台湾旅游合作

27. 积极落实对港澳台政策。一是继续支持澳门世界旅游休闲中心建设、横琴国际休闲旅游岛建设、平潭国际旅游岛建设，扩大 CEPA 领域对港澳资旅行社经营业务开放试点等。二是发挥“促进澳门世界旅游休闲中心建设联合工作委员会”作用，继续支持澳门举办世界旅游经济论坛。三是推动粤澳游艇“点对点”自由行政策扩大实施范围。四是持续推进 144 小时便利签证政策在广东全省实施。

28. 创新旅游合作机制。一是举办内地与港澳全域旅游交流会议，举办内地与港澳旅游交流合作大会。推动建立“深化粤港澳区域旅游合作协调机制”，重点推进粤港澳邮轮

游艇旅游合作发展。二是举办海峡两岸乡村旅游交流大会，评选首批两岸乡村旅游合作示范区。三是支持办好第 7 届苏台灯会、第 13 届海峡旅游博览会。

29. 推进市场推广改革创新。一是实施港澳台年轻上班族旅游市场开发行动，赴港澳举办“品味丝路·城市印象”专题推介会，开发丝路沿线“城市游”新产品。二是实施港澳台青少年赴内地（大陆）游学 3.0 工程，组织 1.7 万名港澳台青少年赴内地（大陆）游学。举行内地游学联盟年度工作大会暨游学推广活动。认定一批游学基地。三是实施东北老工业基地旅游市场促进行动。举办东北老工业基地等地区专项旅游推广等活动。四是实施展会提质增效计划。办好内地旅游（港澳）嘉年华、香港国际旅游展、澳门国际旅游（产业）博览会、海峡两岸台北旅展等组展参展活动，强化“展销合一”。五是实施宣传推广“三进计划”，在港澳地区开展进校园、进社区、进社团，台湾地区开展进校园、进寺庙、进民宿宣传推广活动。实施广告提升计划，加大与地方联合投放力度。

（十一）拓展红色旅游，提升红色旅游效益和品质

30. 加快推动红色旅游目的地升级。一是推动各地深入贯彻落实红色旅游三期规划纲要。二是制定“全国红色旅游基地”标准，提升服务质量。三是推进落实“重走长征路”

国家红色旅游精品线路专项规划，继续完善红军长征主题精品线路建设。四是在 18 个红色旅游重点城市率先试点推行实施《红色旅游经典景区服务规范》，引导设立独立网站和网上纪念馆。五是结合重要节点广泛开展宣传推广活动、组织拍摄红色旅游宣传作品、举办“红色记忆”红色旅游知识网络大赛、红色旅游进校园等活动。

31. 推进红色旅游扶贫。一是协调做好红色旅游地区基础设施和道路交通建设。二是开展智力扶贫，宣传推广红色旅游扶贫经验，培训提高从业人员技能。三是整合当地资源，搭建平台，引导企业、社会组织参与红色旅游发展。四是结合集中连片地区扶贫开发和革命老区振兴发展，在革命老区建立红色旅游书屋。

32. 深化红色旅游国际交流与合作。一是积极开展第三届中俄红色旅游国际交流活动，对俄推广红色旅游景点及精品路线。二是选择有条件和有影响力的地区，再推出若干全国红色旅游国际合作创建区。三是在中共六大常设展览馆建立中俄红色旅游基地，适时组织首发团，发布红色旅游国际线路。

（十二）着力加强旅游数据中心建设，提升旅游信息化水平

33. 改革旅游统计制度。一是建立健全全国统一规范的

旅游数据采集平台，建立旅游统计数据共建共享机制。二是加快构建国家—省—市—区/县四级旅游统计和旅游数据中心工作体系。支持海南、四川、湖北、广东、江苏、安徽等省加快建设省级旅游数据中心。三是拓宽旅游数据来源，建立完善国家与地方、部委之间、地方委办局之间、政府与企业之间、旅游与其他产业之间的数据共享机制。四是加强旅游统计国际合作，主动发声，积极参与国际旅游统计标准和规范的制定。五是将数据分析报告和研究成果有效应用到旅游产业实践，服务政府决策和社会投资，引导游客在时间和空间上的消费流量，改善旅游消费质量。六是加大旅游统计的理论研究与方法创新，为构建全国统一、数据指标内涵和外延一致的旅游数据体系提供理论支撑。七是进一步支持各地旅游统计改革和旅游数据中心建设。

34. 加强国家旅游产业运行监测和应急指挥平台建设。一是启动旅游大数据工程，支持互联网企业参与国家旅游基础数据库升级改造和新数据库建设工作。二是建设旅游景区运行监测和应急指挥系统，协调接入交通、气象等部门数据，开展产业运行数据分析并发布相关报告。三是完成4A级景区数据接入国家旅游产业运行监测和应急指挥平台全覆盖。

35. 持续推动旅游信息化工作。一是结合《中国旅游信息化“十三五”规划》的编制，召开全国旅游信息化工作会议。二是启动“全国全域全息旅游电子信息系统”与“全球全域全息旅游电子信息系统”建设，提升旅游公共信息服务水平。三是推出一批旅游信息化示范地区、旅游信息化示范企业、旅游电子商务示范平台、旅游营销示范平台等，示范推动行业信息化和标准建设。

（十三）拓展理论研究，努力提升旅游人才队伍素质

36. 加强旅游基础理论研究。形成一批基础性、战略性研究成果。一是出版《当代旅游学》，编撰《中外旅游大百科全书》，继续编辑出版《世界著名游记丛书》。二是支持中国旅游智库、中国旅游改革发展咨询委员会等建设，推动成立中国旅游学会，有计划地构建旅游智库群。三是推动成立中国旅游网络大学。四是推进中国特色旅游发展理论体系建设，为实施“三步走”战略、推进全域旅游培养国家级旅游专家队伍、人才队伍。

37. 实施人才促进计划。一是推动旅游职业教育发展，会同教育部做好全国职业院校旅游类示范专业点遴选工作。通过全国旅游管理硕士（MTA）专业教育指导委员会和全国旅游职业教育教学指导委员会，组织举办职业院校技能大赛和骨干师资培训，开展旅游职业教育课题研究，推进旅游职业教育教材建设和校企合作示范点建设。二是继续实施“万名旅游英才计划”和旅游青年专家培养计划。

面向旅游院校和旅游企业开展示范性旅游人才项目，完成2017年3000名英才的遴选培养。三是加大导游培训力度。进一步完善导游“云课堂”平台，扩大培训覆盖面和影响力。启动实施千名金牌导游培养计划，结合旅游系统劳模先进宣传，发挥优秀导游的引领示范作用。四是继续做好导游援藏工作，组织举办西藏及四省藏区、新疆等旅游管理培训班，支持西藏开展导游全员及乡村旅游等培训。五是继续面向东盟国家实施旅游人才培训项目。配合落实国家双（多）边旅游合作协议，推动旅游人才培养合作。

（十四）着力加强新闻宣传，做好舆论引导

38. 完善宣传工作机制。一是从“明确重点、畅通渠道、整合力量、主动策划、借力外脑”五方面入手，完善“新闻采集、信息发布、舆情反馈、专家咨询”四大系统，夯实旅游报、官网、官微三大平台，统筹大众传播和行业传播两大渠道，建立一套规范的内部新闻管理规章。二是加强与央视、人民日报、新华网、人民网、旅游报等传播主渠道合作。三是充分发挥中国旅游新闻网络平台、中国旅游新媒体宣传推广平台、中国旅游视频资讯传播平台的上下沟通作用，营造“百花齐放、特色鲜明”的旅游新闻宣传宏观氛围。

39. 抓好重大旅游主题导向性宣传。一是培育“主流

媒体走基层”新品牌。围绕全域旅游、旅游扶贫、厕所革命、旅游外交、旅游改革等主题，联合中宣部、中央网信办，策划开展中央主流媒体和网络媒体全国性采访报道活动。二是支持央视拍摄纪录片《旅游中华》，支持凤凰卫视拍摄纪录片《旅游天下》。三是推出旅游主题活动新亮点。围绕重点领域，发掘新闻亮点，精心策划选题，推出“全国首届旅游摄影大赛”等主题宣传活动，继续组织好优秀旅游新闻作品评选、年度十大新闻评选等品牌活动。

40. 提升旅游新闻宣传品质与高度。一是组建旅游新闻宣传与舆情研究高端智库，邀请旅游业界、新闻界、经济界知名学者、记者、企业家加入，不断提高新闻宣传工作品质与高度。二是用好“旅游媒体沙龙”新纽带。举办旅游媒体沙龙，重点联系一批骨干旅游记者和旅游行业专家，不断提高宣传水平。

（十五）着力加强党的领导，牢固树立“四个意识”

41. 牢固树立“四个意识”。全行业要深入学习贯彻习总书记的系列重要讲话精神和十八届六中全会精神，紧密团结在以习近平同志为核心的党中央周围，牢固树立政治意识、大局意识、核心意识、看齐意识，把对党忠诚作为根本政治要求和最重要的政治纪律，坚定正确的政治立场和政治方向，坚决在思想上政治上行动上同以习近平同志为核心的党中央保持高度一致，坚决维护党中央权威，振奋精神、奋发有为，加强统筹协调，把党对旅游工作的领导落到实处。

42.强化全面从严治党。进一步严明党的政治纪律和政治规矩，切实履行全面从严治党“两个责任”，加强对权力运行的监督和制约，坚定不移抓好党风廉政建设和反腐败工作，严格落实中央八项规定精神，持之以恒反对“四风”，把全面从严治党贯彻落实到思想建设、组织建设、作风建设、反腐倡廉建设和制度建设的各项工作中，奋力推动全行业党建工作迈上新台阶，为确保旅游业持续健康又好又快发展提供坚强的组织保障。

92年前，青年毛泽东满怀激情壮志和远大理想抱负，就在我们今天开会的长沙写下了著名的《沁园春》，“到中流击水，浪遏飞舟！”54年前，毛主席写道：“多少事，从来急；天地转，光阴迫。一万年太久，只争朝夕！”今天，实施“三步走”战略，奋力迈向世界旅游强国，恰恰就需要这种革命豪情和只争朝夕的精神！

“红军不怕远征难，万水千山只等闲”！同志们，实施“三步走”战略，发展全域旅游是我们旅游领域的新长征，使命光荣，任重道远。我们要自觉在思想上政治上行动上同以习近平同志为核心的党中央保持高度一致，发扬长征精神，认真学习习总书记系列重要讲话精神，深入贯彻落实党的十八大以来的重要部署和中央经济工作会议精神，主动担当，锐意进取，全力完成“515 战略”任务，推动旅游业持续健康发展，以优异成绩迎接党的十九大胜利召开！

第二篇

部分省区市领导发言材料

大力发展京郊旅游
努力促进富民增收

北京市人民政府副市长　程红

在全国上下认真学习贯彻党的十八届六中全会、中央经济工作会议精神和新年度工作起步之际，国家旅游局在美丽的长沙召开全国旅游工作会议，总结去年的工作，分析当前国际国内旅游发展形势，部署今年的任务，这对于我们进一步学习贯彻上级精神，筹划安排好新年度工作具有重要指导意义。今天上午，通过聆听李局长所做的工作报告，我对去年全国旅游工作有三点深切感受：

一是党中央、国务院对旅游工作的重视程度前所未有。开展的厕所革命、全域旅游、旅游外交、文明旅游、旅游扶贫、首届世界旅游发展大会等工作，习总书记、李总理和其他中央领导同志多次作出重要批示和指示，给予充分肯定。我们还注意到，习总书记、李总理等中央领导同志在与外国元首、政要高层会谈时，经常谈及旅游合作。

二是旅游业发展的政策环境持续向好。去年一年，从国家层面密集出台一系列高质量的旅游文件和产业政策，国家旅游局与相关部委联合发布 8 个旅游专题文件，提出了一系列促进旅游业发展的重大政策。特别是国务院发布《“十三五”全国旅游业发展规划》，历史上首次成为国务院重点专项规划，实现了旅游业战略定位的新突破。

三是推动旅游改革创新的力度不断加大。以推进旅游供给侧结构性改革为主线，围绕“515 战略”，奋力从景点旅游走向全域旅游。目前，已经推动全国 19 个省市区完成了旅游局改旅游委，500 个市县创建国家全域旅游示范区，处理 367 家 4A 级及以下旅游景区，有力推动了全国旅游业健康持续发展。

这些都给全国旅游行业以很大的鼓舞和鞭策，增强了我们加快发展旅游业的信心和决心。去年，我们把握首都城市战略定位对旅游业发展的新要求，紧抓京津冀协同发展战略给旅游业发展带来的新机遇，转型升级，加快发展，全年实现旅游总收入 5020 亿元，同比增长 9%；旅游总人数 2.85 亿人次，同比增长 4.6%，连续 4 年保持了旅游收入增速高于接待人数增速的良好势头。旅游餐饮和购物消费额占社会消费品零售额比重达到 22.6%，旅游特征产业投资额占全社会固定资产投资比重达到 9.4%，旅游业在稳增长、促消费、调结构、惠民生中的作用日益凸现。

下面，根据这次会议安排，我着重围绕京郊旅游发展和旅游富民增收情况作个发言。主要谈三方面：

一、2016年京郊旅游发展的总体情况和主要做法

去年，北京市人均GDP已经达到1.7万美元，但是仍然存在北京市认定的低收入农户72632户、156173人，约占全市农户总数的7%；低收入村234个，约占全市行政村总数的6%。我们充分发挥旅游业作为幸福产业、富民产业、绿色产业的作用，以旅游供给侧结构性改革为突破口，努力推动城乡统筹发展、建设美丽乡村、促进广大农民致富增收。主要工作成效和做法体现在以下六方面：

一是京郊旅游产业规模不断壮大。北京市现有市区星级民俗村户5000家以上，特色业态647家，旅游特色村镇50多个。环球影城主题公园、乐多港、文化硅谷、岔道古城等一批重大旅游项目加速推进。

二是京郊旅游产品结构持续优化。国际驿站、休闲农庄、采摘篱园、民族风苑、乡村酒店、养生山吧、生态渔村、山水人家、葡萄酒庄、汽车营地十种乡村旅游新业态蓬勃发展，推动京郊旅游由数量规模型向质量效益型转变。

三是全域旅游示范区创建工作稳步推进。门头沟、昌平、平谷、怀柔、延庆五个区分两批被国家旅游局认定为“国家全域旅游示范区创建单位”，按照创建要求进行管理体制、

产业体系等方面改革。

四是京郊旅游休闲体系加快推进。“五十百千万亿”京郊旅游体系正在加快构建，计划用 3 至 5 年时间，改造提升 24 个传统村落“五个一工程”，创建 100 个特色旅游村镇，建设 3000 公里休闲步道，组织 1 万名京郊民俗户培训，利用京郊旅游融资担保服务体系提供 30 亿元资金支持。去年 24 个传统村落“五个一”工程已全部完成，培育乡村旅游特色业态 100 家，建设完成 200 公里步道，培训京郊旅游管理干部和从业人员 1000 余人次，京郊旅游融资担保服务体系批准项目 522 个、涉及金额 11 亿元。

五是京郊旅游市场环境逐步改善。北京市委市政府高度重视全市旅游市场秩序治理工作，并将此项工作纳入 2016 年市政府督查工作要点，先后 8 次召开会议进行专题研究和安排部署。全年北京市旅游、公安、城管、网信办等部门和各区政府共开展旅游执法专项检查 2840 余次，出动执法人员 13 万人次，八达岭、十三陵等非法“一日游”问题突出的重点地区的旅游市场环境得到明显改观。以“厕所革命”为抓手，推进京郊旅游设施完善。

六是京郊旅游支持政策不断创新。去年，北京市旅游、农委、财政等部门加强联合，先后研究制定了旅游休闲步道总体规划及试点方案、加强传统村落保护发展的指导意见和旅游小镇发展规划等支持政策，创新设立了京郊旅游保险服务体系，为京郊旅游发展提供了重要支撑。

二、发展京郊旅游和做好旅游富民工作面临的机遇

当前，发展京郊旅游和做好旅游富民工作面临的外部环境和内在要求都发生了很大变化，总体来看，迎来了大有可为的新一轮“黄金”发展期。主要有五个利好：

一是国家促进乡村旅游发展政策进一步向好。围绕促消费、调结构、惠民生，国家制定出台的《关于积极发展新消费引领作用加快培育形成新供给动力的指导意见》（国发〔2015〕66号）、《关于进一步扩大旅游文化体育健康养老教育培训等领域消费的意见》（国办发〔2016〕85号）、《关于实施旅游休闲重大工程的通知》（发改社会〔2016〕2550号）、特别是《“十三五”旅游业发展规划》等一系列重要政策文件，都涉及乡村旅游发展，为北京市做好乡村旅游发展和旅游富民工作提供了遵循。

二是京津冀协同发展向纵深推进将助推京郊旅游发展。京津冀三地已在符合协同发展且现实急需、具备条件、取得共识的交通一体化、生态环境保护、产业升级转移等重点领域进行了率先突破。这些阶段性成果，有利于便捷京郊旅游交通，改善京郊旅游产品和环境，使空间的距离、时间的成本得到大幅压缩。特别是随着城市副中心建设、

环球主题公园、首都地区环线高速等项目建设的大力推进，将进一步助推京郊旅游加速发展。

三是发展京郊旅游完全符合首都城市战略定位。当前，北京市已经进入落实首都城市战略定位、建设国际一流的和谐宜居之都的关键阶段，许多非首都功能的产业正在加快疏解，旅游业显然是符合首都城市战略定位的，不但不进行疏解，还要大力发展。为此，北京市委市政府明确作出了“城区关键抓秩序、抓质量、抓安全，郊区重点抓发展、抓升级、抓提质”决策部署。这就要求我们发展京郊旅游，应站在首都经济发展大局的高度，充分挖掘京郊的历史文化资源，注重向文化内涵和休闲体验转变，更好地服务首都功能，服务广大游客。

四是北京市筹办重大活动将给京郊旅游发展带来更多机遇。当前，北京市正在按照中央的要求，扎实推进冬奥会、冬残奥会、世园会、世界休闲大会的筹办工作。这些活动的高标准筹办，必将带动和促进京郊旅游基础设施、旅游产品、旅游公共服务、旅游从业人员素质等全方位升级。

五是广大游客的休闲需求更加旺盛。国际旅游规律表明，人均 GDP 超过 5000 美元，居民的消费转向精神文化消费为主的时期，开始进入大众旅游时代。北京作为国家首都、历史文化名城和国际化大都市，更是世人向往的旅游胜地，具有很大的市场潜力。去年接待 2.85 亿人次，平均每天 780 多万，许多游客都到京郊进行休闲体验和度假。

三、今年开展京郊旅游和旅游富民工作的初步安排

今年是北京市实施“十三五”规划、建设国际一流的和谐宜居之都的关键一年，是落实《京津冀协同发展规划纲要》的重要一年，也是供给侧结构性改革的深化之年。发展京郊旅游和旅游富民工作坚持以推进供给侧结构性改革为主线，以提高质量和效益为中心，着力抓好六个方面的重点工作：

一是持续推进全域旅游示范区创建工作。按照国家旅游局的创建标准和六项考核“硬指标”，继续推进门头沟、昌平、平谷、怀柔、延庆五个区的全域旅游示范区创建工作。指导各区立足本区实际，找准难点和重点问题，积极探索和总结符合北京实际的创建模式。

二是持续推进“五十百千万亿”京郊旅游体系建设。今年是第二个年头，传统村落“五个一工程”和京郊旅游十种新业态重在提质换挡，打造“升级版”；100 个特色旅游村镇和 3000 公里休闲步道建设任务繁重，需要下大力气推进；1 万名京郊民俗户培训和 30 亿元京郊旅游融资担保服务体系支持资金涉及京郊农户和小微旅游企业的切身利益，进一步组织好、落实好。

三是出台《北京市旅游条例》并抓好贯彻落实。修订《北京市旅游条例》，是适应新形势新任务、促进北京市旅游业持续健康发展的现实需要，也是北京市依法治旅、规范市场秩序的一个重要法律保障。《条例》针对北京市乡村旅游发展实际特别是住宿经营现状，确定了低于旅馆业标准进行服务管理的改革思路，按照保障合法经营、简化审核手续、加强日常指导的原则进行了条款设计。

四是大力推进京郊旅游市场秩序治理。今年我们将在总结去年工作的基础上，以更大决心、下更大力气做到五点：第一，有法可依。治乱必用重典，即将颁布的《北京市旅游条例》就是可用的重典。第二，有法必依。今年北京市将出台《加强旅游市场秩序治理的工作意见》，使旅游市场秩序治理步入制度化、规范化和常态化。第三，执法必严。进一步加大对京郊旅游市场秩序的联合执法力度。第四，违法必究。充分发挥旅游警察队伍的职能作用，对一些典型案例，特别是社会影响比较恶劣的案件，要坚决打击，以案说法，起到震慑作用。第五，社会共治。通过加强信用体系建设、建立举报机制、设立曝光台等，让媒体、志愿者、大众共同参与进来，形成群策群力、齐抓共管的良好局面。

五是加快培育特色旅游村镇。我们感到，随着城市化和现代化节奏的加快，正有越来越多的人怀着对故土眷恋的情怀，找寻记忆中的小镇与村庄，这其中蕴藏着巨大的发展潜力。我们计划从 2016 年至 2018 年在全市验收命名 100 个特色旅游村镇，去年已经完成了首批 33 个，今明两年还将完成 67 个。在培育工作中，我们将把握两条基本原则：第一，坚持突出特色。依据北京市各区特色资源优势，发展特色产业，传承传统文化，保护生态环境，防止一哄而上、千镇一面。第二，坚持市场主导。尊重市场规律，政府重在搭建平台、提供服务，注重引导有实力的企业和民间资本有序进入。

六是着力提升京郊旅游消费水平。这既是促进北京市经济稳增长、转方式、调结构的必然要求，也是首都旅游业发展过程中需要大力解决的问题。近年来，虽然京郊旅游消费在逐年增加，但是总的来看还比较低。京郊旅游的特色优势资源还没有得到挖掘，还有很大的发展空间。在这方面，我们将抓好两件事：第一，出台一个指导性文件。北京市政府将出台《加强供给侧改革 促进旅游休闲消费提升行动计划》，构建包括京郊旅游在内的大消费格局，不断提升旅游消费水平。第二，坚定走内涵式发展方式。充分发挥北京郊区深厚的历史和文化积淀，深度挖掘民俗旅游文化内涵，努力推出高品质的、符合北京城市文化和特点的京郊旅游产品、旅游商品和旅游服务品牌。

我们将认真抓好这次全国旅游工作会议精神的学习贯彻，回去过后，结合全国旅游工作的部署安排，进一步筹划好我市的旅游工作。本月 24 日，我们将召开北京市旅游工作会议，传达全国旅游工作会议精神，总结去年工作，交流经验做法，研究部署今年的任务。

最后，借此机会，我代表北京市政府，对国家旅游局对北京市旅游工作的有力指导，对各兄弟市的支持帮助，表示衷心感谢！

坚持供给侧结构性改革 大力推动旅游业转型升级

吉林省人民政府副省长　李晋修

国家旅游局组织召开这次工作会议，总结 2016 年旅游业发展情况，研究落实《“十三五”旅游业发展规划》，部署 2017 年旅游工作，为我们做好当前和今后一个时期工作指明了方向，提供了遵循。近年来，吉林省认真贯彻落实国家决策部署，坚持把旅游业作为转型升级的重要引擎，扩大消费的重要抓手，紧紧围绕供给侧结构性改革，全面实施旅游业攻坚行动和支柱产业培育计划，旅游总收入连续 7 年增速超过 25%，成为全省经济增长新亮点。下面，按照会议安排，结合吉林实际，我谈几点体会，与大家共同交流。

一、做大做强冰雪产业，着力培育国际旅游品牌

吉林地处“冰雪黄金纬度带”，拥有亚洲品质最好的冰雪资源。金早局长曾对吉林冰雪给予高度评价：“冰雪风光美，精彩在吉林”。按照国家旅游局部署，吉林省立足冰雪资源优势，深入融会习近平总书记“冰天雪地也是金山银山”指示精神，大力发展白色经济，努力将冷资源变成热产业，取得积极成效。一是突出政策引领。在全国率先制定出台了《做大做强冰雪产业的实施意见》，这是全国首个研究冰雪产业的文件，也是全国唯一梳理出冰雪产业构架和目标体系的文件。创新提出全力打造以“冰雪旅游、冰雪体育、冰雪文化”为核心的“3+X”冰雪全产业链，着力将吉林建设成为中国冰雪产业大省、冰雪旅游强省和世界级冰雪旅游目的地。二是突出项目带动。深入谋划、精细包装休闲度假、文化演艺、基础设施建设等冰雪旅游项目 340 个，正式对外发布，营造了浓厚的招商氛围。比如，总投资 400 亿元的万科松花湖旅游度假区项目，已完成 28 条雪道建设；总投资 112 亿元的吉林漫江生态文化旅游综合开发项目，已完成 2 个滑雪场建设；总投资 100 亿元的通化万峰国际度假区项目，已完成滑雪场配套综合楼建设。目前，国内年度雪季接待游客能力超 20 万的滑雪场有 4 座，吉林就有 2 座。积极筹备设立冰雪产业发展基金，努力为

吉林冰雪产业快速发展注入新动力和新活力。三是突出市场推广。去年 10 月，我们立足珠三角、拓展粤港澳，瞄准长三角、辐射大华东，组团赴深圳、上海、福建开展“冬季，到吉林来玩雪”大型系列推介活动，全方位、多角度营造“到吉林来玩雪”品牌效应。这次推介活动用“暖”元素来推介“冷”资源，全景式、全方位、立体化展示吉林冰雪旅游鲜活形象，是吉林省历史上第一次，也是规格最高、规模最大、方式最新的一次推介活动，取得超出预期的效果。人民网省长专访和现场直播总访问量突破 700 万人次，新浪网专题报道曝光量超过 5.23 亿次，“冬季，到吉林来玩雪”“吉林冰雪”已经成为网络热词。据统计，2016 雪季万达长白山国际度假区、万科松花湖旅游度假区接待游客分别突破 30 万和 20 万人次，分别位居全国第 1 和第 3 位。长白山 2016 年接待游客突破 200 万人次，特别是冰雪旅游火爆，改变了冬季封山历史，长白山天池单日游客达到 2000 人次。目前，冰雪旅游收入已经占到全省旅游业总收入的 1/3。四是突出品牌打造。开拓思维，创新做法，不断整“景”造“事”，强力推动吉林冰雪旅游“火”起来，冰雪品牌“靓”起来，冰雪产业“兴”起来。大手笔、高起点策划举办全国首个国家级、国际性冰雪产业盛会——首届中国·吉林国际冰雪旅游产业博览会，邀请美国、俄罗斯、加拿大等 19 个国家，港、澳、台地区，以及国内 23

个省区市的 2802 名参展商、旅行商、旅游专家、媒体代表参会参展。首届“雪博会”注重创新、注重实效，内容丰富，成果丰硕，在国内外产生广泛的品牌效应。各市州创造性举办冬季旅游节事活动，长春瓦萨冰雪节、吉林雾凇、松原查干湖冬捕、长白山冰雪嘉年华亮点纷呈，全面活跃了冬季旅游市场、放大了吉林冰雪品牌效应。

二、开发新产品新业态，着力推动吉林旅游提档升级

坚持以消费需求为导向，推动产业结构优化、服务品质提升，推进旅游供给侧结构性改革，构建“多元选择、多重体验、多样消费”的产品格局，让吉林旅游四季有景，全年皆旺。一是丰富旅游产品供给。目前，吉林省开发形成了银白世界冰雪游、红色革命遗迹游、绿色生态森林游等“八大”产品体系，类型多样的产品，可以满足多重旅游需求。依托“最美高铁”“生态高速”沿线旅游产品，推出一批自助游、休闲游、定制游等新业态。赏雾凇、玩冰雪、泡温泉、观冬捕，品民俗等一系列令人陶醉的冰雪大餐，为国内外游客带来终生难忘的体验和快乐。二是推进产业深度融合。实施“旅游 +”战略，实现旅游向多领域延伸，持续提升旅游产业化发展水平。推进“旅游 + 农业”，开展乡村旅游经营单位、示范单位、乡村旅馆创建工作，

抓好现有乡村旅游景点提升改造，打造乡村旅游示范样板，建设了一批特色小镇和传统村落，使吉林农村“美”起来、乡村旅游“火”起来。推进“旅游 + 民俗”，依托朝鲜族、满族、蒙古族等少数民族风情，重点打造观光、饮食、演艺、狩猎等少数民族精品民俗体验项目，形成独具特色的“吉林符号”。推进“旅游 + 文化”，开展丰富多彩的文艺演出和展览展示活动，增强旅游产业文化内涵。首届雪博会期间，组织举办演出 63 场，营造了良好的文化氛围。积极探索传统工艺及现代创意与旅游景区有效对接，延伸了旅游产业链条。推进“旅游 + 美食”，开展冰雪美食推广系列活动，编制吉林省冰雪美食地图、评选出长白山 12 道压山菜，首届吉菜冰雪美食节、长白山冰雪嘉年华暨名厨烹饪大赛等活动反响热烈，推动了冰雪旅游产业与餐饮业深度融合。同时，大力推进“旅游 + 体育”“旅游 + 中医药”“旅游 + 休闲”，提升了旅游产业丰厚程度，全面活跃了我省旅游经济。三是激发企业主体热情。围绕夯实市场主体，调动企业积极性，启动实施“冰雪英雄榜”计划，投入千万资金奖励为冬季旅游做出突出贡献的企业，激发了旅游企业的积极性，释放了冰雪旅游产业发展的巨大潜力，全面激活我省冬季旅游市场。四是构建诚信和谐环境。良好的发展环境是推动旅游业供给侧结构性改革的重要保障。首届雪博会上，吉林省委主要领导亲自发布诚信宣言，启动实施“诚信回家”工程，投入千万资金褒扬诚信、惩戒失信。结合全域旅游发展，鼓励有条件的地区率先推广设立旅发委和旅游警察、旅游法庭、旅游工商分局“1+3”模式，着力构建诚信和谐的旅游环境，规范旅游市场运行秩序，坚决杜绝欺客宰客、强迫消费等侵害游客权益的行为，全力保障海内外游客合法权益，为吉林旅游步入诚信时代营造良好的氛围。

三、积极发展边境旅游，着力促进国际旅游交流与合作

吉林省拥有1384.6公里边境线，与俄罗斯、朝鲜山水相连。目前，已开通中俄旅游口岸1个，中朝旅游口岸9个，形成赴俄和赴朝边境旅游线路11条。2016年，全省边境旅游出入境达到62万余人次，连续3年超过20%增长，边境旅游已经成为吉林旅游经济新的增长点，在繁荣边疆、稳定边防、促进发展等方面，发挥了至关重要的作用。

一是创新开发跨境旅游产品。围绕东北亚旅游市场需求，积极开发跨境旅游新产品，不断推出跨境旅游新业态。目前，我省已开发航空游、邮轮游、专列游等多种跨境旅游产品，深得境内外旅游者的喜爱。去年6月17日，长春至俄罗斯符拉迪沃斯托克双向国际旅游巴士直通车正式通

车，大幅提升了两国的跨境游热度。去年 7 月，开通了图们江（中朝界河段）水上旅游项目，为开发中朝图们江水陆一日游和实现图们江出海国家战略奠定了坚实基础。围绕打造“一带一路”吉林旅游版，推进开通中朝、中蒙自驾游线路，实现中俄自驾旅游常态化。连续 5 年在珲春防川举办“望三国、观日出、新年祈福节”，增强了图们江旅游市场影响力。

二是积极拓宽入境旅游营销渠道。创新境外市场推广模式，精准实施旅游营销，设立旅游体验展示和宣传推广中心，实现我省在主要客源地旅游推广营销工作常态化。选择有实力的旅行社，授权其在境外设立吉林省境外旅游推广营销中心、旅游体验店、旅游体验展示中心等，建立高度统一的形象窗口。目前，已在韩国首尔市、俄罗斯海参崴、中国台湾及香港地区设立 4 个境外旅游体验展示中心，在入境旅游市场营销，深度宣传展示吉林旅游特色产品，巩固和扩大境外入境旅游市场等方面发挥了重要作用。

三是大力开展“两区”建设工作。2014 年，我省提出开发建设图们江三角洲国际旅游合作区倡议，得到朝俄两国响应，经过持续推动，建立了省级协调推进机制，合作区建设取得突破性进展。与此同时，按照国家旅游局部署，我省积极开展边境旅游试验区申报工作，创新珲春市、集安市、长白县边境旅游管理体制和产业发展引导机制，实施游客出入境便利化措施。特别是珲春市开通对朝自驾游线路，率先突破边境旅游必须同一口岸进出的政策限制，积极推进开通中俄自驾旅游线路。

四是推进边境旅游合作平台建设。立足于推动国际旅游合作与发展，积极参与联合国开发计划署“大图们倡议”旅游委员会（GTI）、“东亚区域旅游论坛”（EATOF）和“环日本海旅游促进协会”，以及东北亚地方政府首脑会议等合作机制。连续5年成功举办“大图们倡议”东北亚旅游论坛，并把珲春市作为永久性会址，加快推动图们江下游地区的开放开发。经“大图们倡议”秘书处授权，东北亚多目的地旅游促进中心在珲春市揭牌运营，成为我国东北地区首家国际性旅游机构。积极参与主导国际旅游事务，加强周边区域旅游交流合作等事宜，与俄罗斯滨海边疆区、朝鲜国家旅游局、韩国江原道文化旅游部门开展经常性双边会谈，建立协调机制，有力地推进了东北亚区域旅游政府间协作，实现了信息共享、人员交往和旅游经济协调发展。

同时，按照国家和省委、省政府要求，我们坚持把旅游基础设施建设和管理摆上重要位置，突出以旅游“厕所革命”为抓手，下大力气把旅游厕所建设抓到底，切实提升了全省旅游业品质。具体工作中，我们强化高位统筹、合力推动，强化科学规划、合理布局，强化创新方式、管建结合，强化试点先行、典型示范，吉林旅游厕所建设成效显著，已经成为景区一道亮丽的风景线。截至去年底，我们超额完成全省年度旅游厕所建设任务，得到国家旅游局的充分肯定。

各位领导，同志们，吉林省旅游业发展正在路上，还需要国家旅游局的大力支持和兄弟省市的鼎力帮助。我们将按照国家旅游局要求，及时传达贯彻这次工作会议精神，认真学习借鉴兄弟省市经验，对今年工作再完善、再强化、再部署，确保各项工作落到实处。

开创全域旅游发展新局面
建设“强富美高”新江苏

江苏省人民政府副省长　张雷

根据会议安排，我就江苏全域旅游发展情况，作一简要汇报：

全域旅游是大众旅游时代的创新理念。去年以来，在国家旅游局的指导支持下，江苏大力推动全域旅游发展，以点带面，加强统筹，取得了初步成效。从思想认识上看，全省上下推进全域旅游发展的氛围日益浓厚。2016年，省委、省政府召开全省旅游业发展大会，提出实施全域旅游发展战略，实现旅游业各类要素在更大空间的集合，推动江苏对外形象整体提升。全省各地各部门认真贯彻省委省政府的部署，积极申报开展全域旅游创建试点，“城市即旅游、旅游即生活”的理念得到广泛认同。大家认识到，全域旅游是建设旅游强省、强市、强县的必由之路，把一个行政区当作一个旅游景区来规划发展，实现旅游产业的全景化、全覆盖，对于推动旅游业转型升级、提质增效具有十分重要的意义。从组织领导上看，部门联合、上下联动的全域旅游推进格局初步形成。及时召开全域旅游发展推进会，编印全域旅游示范区创建指南，引导各地科学谋划、深入推进全域旅游发展。进一步健全旅游产业综合协调机制、旅游市场综合监管机制，形成推动全域旅游发展的合力。全省各市、县踊跃参与全域旅游试点示范区创建，目前共获批 28 家创建单位。在创建过程中，各地强化统筹，高位谋划，快速推进。比如，苏州市将全域旅游发展纳入市级机关年度绩效考核体系，并酝酿以市委市政府名义出台政策性意见。南京市江宁区以区委、区政府名义印发全域旅游三年行动计划，出台全域旅游发展规划。从政策措施上看，全域旅游改革创新步伐进一步加快。我省从加大资金支持、完善公共服务、破解体制机制障碍等方面入手，为全域旅游发展创造有利条件。比如，围绕大力提升旅游公共服务，去年我省新建、改扩建旅游厕所 1000 个，并且将旅游厕所建设管理范围延伸至主要旅游线路沿线的重要节点、各类交通集散点、旅游营业场所等。全省 3A 级以上景区和三星级乡村旅游点核心区域实现免费 Wi-Fi 全覆盖。苏州市建成旅游纠纷人民调解委员会、姑苏旅游巡回法庭。淮安盱眙天泉湖实现景区、度假区与镇区统一管理。从综合效应上看，全域旅游对经济社会发展的贡献度逐步提升。随着全域旅游战略的深入实施，旅游业融合发展保持良好势头，环太湖、环洪泽湖旅游圈，沿海、沿古运河旅游带以及长江旅游带等区域旅游发展加速，旅游发展规模和质量显著提升。预计2016年全省旅游业总收入达到1.02万亿元，同比增长13%左右，实现旅游业增加值4500亿元，同比增长13%左右，占全省GDP的比重约6%，比上年提高约0.3个百分点。旅游业惠民富民作用日益显现，目前全省旅游从业人员超过430万人，其中直接就业100万人以上，持证导游人员达到7.5万人。

当前，江苏旅游业发展正处在转型升级、提质增效的关键期。新形势下，我们将认真践行创新、协调、绿色、开放、共享五大理念，贯彻落实国家旅游局的工作部署和本次会议的要求，加快实施全域旅游发展战略，以转变旅游发展方式为主线，以提升游客满意度为宗旨，丰富旅游产品供给，加强旅游品牌营销，提高依法治旅水平，努力推动旅游业发展迈上新台阶，为建设经济强、百姓富、环境美、社会文明程度高的新江苏提供有力支撑。重点抓好以下几个方面：

一、加强统筹协调，完善全域旅游推进机制。按照发展大旅游的要求，充分调动地方和部门的积极性，保障全域旅游发展。一是强化机制保障。完善省市联动、部门联合的工作机制，健全省旅游委员会议事协调工作机制，明确各级政府在发展全域旅游中的职责，引导各地统筹抓好全域旅游创建试点工作。二是强化要素保障。加大对全域旅游重点项目建设的支持力度，在项目用地、融资贷款、核准备案等方面给予优先支持。加大对全域旅游发展的财政投入，逐步扩大旅游产业基金规模，拓展扶持发展的领域。保障旅游度假区、乡村旅游、城市休闲空间等用地需求，鼓励城乡居民利用自有住宅经营旅游，农民集体用地通过使用权入股、联营等方式参与旅游开发。三是强化人才保障。加大旅游人才培养和引进力度，抓好旅游创意人才、旅游经营管理人才、旅游服务人才三支队伍建设，鼓励大学生、返乡农民工等投身旅游发展，为全域旅游发展提供支撑。

二、坚持规划引领，丰富全域旅游产品体系。坚持以规划为龙头，突出核心吸引物打造，促进旅游业态创新，不断丰富旅游产品供给。一是实施“多规合一”。编制全域旅游发展规划，统筹旅游规划与城乡规划、土地利用规划，合理规划各类旅游功能区，推动县级旅游规划全覆盖，打造全景旅游目的地。二是深化融合创新。充分发挥旅游业的叠加作用和联动效应，加强旅游与农业、工业、体育、健康和教育等产业的融合，开发综合型乡村旅游、健康旅游、研学旅游、文化旅游项目。三是创建旅游风情小镇。这是我省实施全域旅游战略的一项创新举措，我们计划通过 5 年的努力，在全省培育 50-100 家非建制镇、非产业园区的旅游风情小镇。在规划布局上，放大和挖掘小镇周边地区的区位特色、地貌特色、建筑特色，形成招引项目、人才、资本的独特优势。

三、抓好品牌建设，提升全域旅游整体形象。围绕建设世界著名旅游目的地这个定位，抓住江苏“水”和“文化”的资源特色，着力打造“水韵江苏”旅游品牌形象。一是加快构建品牌体系。出台旅游品牌建设意见，整合各地、各部门的平台和资源，形成旅游形象推广的合力，把“水韵江苏”打造成我省对外交流的形象名片。二是拓展入境旅游市场。大力开发国际旅游市场，实施精准营销、持续推广的策略和“区域联动、部门联合、企业联手”的大旅游营销模式，巩固成熟市场，拓展新兴市场。三是挖掘省内旅游市场。从今年起，我们将连续三年举办“江苏人游江苏”活动，出台跨区域旅游的优惠政策，鼓励区域之间开展合作，促进省内旅游市场繁荣。

四、推进依法治旅，优化全域旅游市场环境。采取综合措施，在加强旅游法制建设、提升旅游管理水平、维护旅游市场秩序上下功夫，着力营造法治化、便利化的全域旅游环境。一是加强旅游法治建设。健全旅游综合执法机制，加大对“一日游”“低价游”“零负团费”的整治力度。支持和鼓励全域旅游创建单位建立旅游警察和旅游法庭，形成专业化的旅游执法体系，推动旅游行业监管向综合治理转型。二是完善旅游标准体系。以开展国家旅游标准化试点为契机，进一步完善旅游标准体系，抓好乡村旅游、工业旅游、A 级景区、旅游度假区等行业标准的推广落实，对于不符合标准的单位和企业实行退出机制。三是提升旅游公共服务。围绕旅游交通、旅游咨询、旅游厕所等重点领域，加大建设力度，加快布点成网，完善服务功能。加快推进智慧旅游建设，完善集散中心的综合服务功能，建设覆盖全省、统一管理的旅游公共服务网络。

五、加强改革创新，激发全域旅游创建活力。按照全域旅游、大众旅游的要求，转变发展观念，强化制度创新，促进全域旅游发展。一是推进改革创新试点。鼓励更多有条件的地方开展全域旅游创新试点，打造全域旅游创新发展试验区、先行区。指导全域旅游创建试点地区建立旅游综合管理、协调、执法机制。二是推动市场主体创新。加快组建省级和地方性的旅游产业集团，支持同程、途牛、龙城控股、金陵饭店等旅游龙头企业做大做强，鼓励传统旅游企业转型升级，支持中小旅游企业创新发展，培育多层次的市场发展主体。三是抓好旅游基础工作。加强调查研究和交流借鉴，总结推广各地发展全域旅游的好做法好经验，为面上创建工作提供示范。深化旅游统计改革，建设江苏旅游数据中心，加强与大型互联网企业的合作，扩大数据采集渠道，实现数据资源共享共用，为政府决策、行业管理、游客出行提供参考。

以上汇报，不当之处，请各位领导和同志们批评指正。

以全域旅游助推湖北科学发展

湖北省人民政府副省长　童道驰

国家旅游局在全国倡导推动全域旅游发展，将旅游业发展提高到了一个新阶段。湖北以全域理念谋划和推进旅游发展，使旅游业融入大战略，发展为大产业，在经济社会发展中的地位日益增强，为我省经济社会发展做出了重要贡献。按照这次会议要求，我在这里作一简要发言。

一、湖北推动全域旅游发展的基本情况

湖北省委、省政府高度重视全域旅游工作，围绕“四个三”，积极推动全域旅游发展，取得了初步成效。

（一）立足三个层级抓全域旅游发展。一是以全域理念抓政策出台。2016 年印发了我省《“十三五”旅游规划纲要》《促进旅游投资消费意见》，并以省委、省政府名义召开全省旅游发展大会，提出“全域联动”的目标要求，

并在全省范围内建立“横向到边、纵向到底”式的全覆盖，构建多领域、多层次的全域旅游发展联动模式，着力将旅游业打造成为带动经济社会发展的新引擎。二是以全域模式抓区域整合。武汉城市圈在全国率先探索成立跨区域全域旅游联盟，武汉市及周边 8 个市按照全域旅游模式，全力推动旅游项目建设、宣传促销、标准化建设、智慧旅游、自驾车房车露营产品、信息服务、人才培训、投诉处理、交通互联互通、旅游标识系统等十个“一体化”建设，着力打造主客共享、游客满意的旅游目的地。三是以全域创建抓示范区率先发展。以我省 33 个全域旅游示范区创建单位（16 个国家级）为重点，推进全省全域旅游创建工作，突出创建特色，明确创建任务，分解创建责任，提出创建进度，积极探索以旅游业促进经济社会协调发展的新模式、新途径。

（二）聚合三股力量抓全域旅游发展。一是政府强力主导。省政府成立了旅游产业发展委员会，着力协调解决制约旅游发展的瓶颈性矛盾，并在去年一年内出台三个文件，为全域旅游发展营造良好氛围。全省各地成立由党政主要负责人任组长的全域旅游创建工作领导小组，定期召开会议专题研究全域旅游创建工作，并配套相应政策措施及资金安排，推动全域旅游发展工作落实。恩施州本级财政安排创建投入 5000 万元，州、县两级财政投入超过 5 亿元。随县将全域旅游工作纳入县年度经济工作目标考核体系。二是市场主体发力。我省以全域旅游为统领，发挥旅游业在吸引投资上的综合优势，推动旅游领域成为各类资本聚集的“洼地”，当前我省旅游业呈现出大型项目多、投资领域广、项目结构优、投资主体强的显著特征。2016 年，各类旅游企业完成旅游投资近千亿元，银行为企业贷款约 200 亿元。三是群众广泛参与。全省各地发挥旅游业“产业链条式”就业创业的优势，动员广大人民群众参与到全域旅游发展中来，壮大全域旅游发展的群众基础。利川市启动“十村百企万户”乡村旅游工程建设，3 万多农民加入到旅游产业各个要素的开发经营行列。

（三）围绕三大重点抓全域旅游发展。一是创建旅游行政区。深度融合新型城镇化，开展旅游强县、名镇、名街、名村创建工作，形成了一大批旅游驱动型行政区和建制村。现有“湖北旅游强县”20 个、“湖北旅游名镇”24 个、“湖北旅游名街”11 个、“湖北旅游名村”97 个，在推动湖北旅游全域发展上发挥了较强的示范带动作用。二是实施旅游 + 工程。推进旅游与三次产业的融合，拓展旅游发展领域，催生旅游新型业态，使旅游新业态成为带动相关行业发展的直接动力。我省利川市按照“产业围绕旅游转、产品围绕旅游造、结构围绕旅游调、功能围绕旅游配、民生围绕旅游兴”的发展思路，强力推进六个“旅游 +”，展现了旅游推动发展的巨大能量和潜力。三是升级旅游公共服务。大力实施旅游交通便利化工程，新建和完善旅游公路、旅游交通集散中心、旅游交通标识系统、旅游停车场等，不断提高旅游通达水平和便利化服务质量。实施旅游厕所革命，推进智慧旅游工程、自驾车房车营地、旅游咨询服务中心和旅游风景道建设，旅游公共服务能力进一步提升。

（四）着眼三大目标抓全域旅游发展。一是做成“大产业”。加强旅游资源和设施的全面整合与利用，加强旅游公共服务设施建设，延伸旅游产业链条，丰富、优化旅游产品供给，激发旅游消费需求，拉动旅游快速增长。2016 年，我省国内旅游大幅增长，入境旅游逆势上扬，假日旅游红红火火，实现了“十三五”良好开局。二是追求“大民生”。推动旅游精准扶贫脱贫，提高群众获得感。2016 年，全域旅游发展助推 25 万人脱贫，仅旅游企业就结对帮扶贫困村 33 个、贫困户 8875 户、贫困人口 38341 人。三是践行“大生态”。牢固树立“绿水青山也是金山银山”的理念，把尊重自然规律、建设生态文明作为基本价值取向，实现旅游发展与生态保护深度融合，通过旅游发展来推动生态文明建设。

二、关于推进全域旅游发展的几点体会

全域旅游是旅游发展的内在需求和重要路径，是旅游

行业推进“五位一体”全面布局和“四位一体”战略布局的重要体现。在推进我省全域旅游发展中，我们有以下四点体会。

（一）发展全域旅游要与贯彻落实五大理念相结合。旅游业是创意经济，最体现创新发展；旅游业是综合产业，最强调协调发展；旅游业是无烟工业，最符合绿色发展；旅游业是先导行业，最引领开放发展；旅游业是民生事业，最满足共享发展。在推进全域旅游发展中，我们注重以创新为动力，提高旅游经济的运行质量；以协调为杠杆，统筹旅游要素、产业和区域发展；以绿色为主题，实现旅游业可持续发展；以开放为手段，加强旅游资源整合和区域协作；以共享为目的，使旅游成为人民幸福生活的重要指标，发挥和展现了旅游在贯彻落实五大发展理念中的示范带动作用。

（二）发展全域旅游要与旅游供给侧结构性改革相结合。我们坚持问题导向，认真查找旅游供给侧的短板和不足，在“三增一补一升”上下工夫。一是增加有效供给。大力发展乡村旅游，促进乡村旅游与城市旅游、风景名胜旅游的协调发展。二是增加中高端供给。大力发展休闲旅游、度假旅游、康养旅游，优化和升级我省旅游产品结构。三是增加差异化供给。突出生态、文化等主题，开发多样化旅游线路。四是补旅游发展短板。在突破旅游美食、商品、娱乐等传统短板的同时，大力实施旅游+工程，着力推进旅游与相关行业的资源性、生产性、服务性融合。五是升级旅游服务。我们推进旅游厕所、自驾车房车营地、旅游集散服务中心、智慧旅游等公共服务设施，着力构建主客共享、国际水准、体系完备、优质高效、安全舒适的旅游公共服务体系。

（三）发展全域旅游要与经济社会发展大局相结合。习近平总书记视察湖北时，要求湖北努力建设成为中部崛起的重要战略支点，在转变经济发展方式上走在全国前列，“建成支点、走在前列”成为湖北经济社会发展的总要求和总目标。我们把全域旅游放在这一大格局中来审视、来推进，做好“结合”的大文章，展现旅游风采，体现旅游担当。我们坚持区域联动，以旅游发展推动城乡全面建设；坚持产业融合，以旅游发展推动百业整体兴旺；坚持服务民生，以旅游发展推动群众就业脱贫；坚持打造软实力，以旅游发展推动形成自信、有礼、开放、包容、文明、诚信的湖北良好形象。

（四）发展全域旅游要与旅游经济强省建设相结合。建设旅游经济强省是湖北省委、省政府作出的重大决策，推进全域旅游，必须围绕和服务于这一重大决策。我们以全域旅游为抓手，促进旅游充分和全面发展，2016 年旅游综合收入达到 4800 多亿元，相当于全省 GDP 的 12% 以上。

以全域旅游为抓手，加强旅游资源、要素、产业整合和融合，催生了一大批旅游新型业态，旅游行业嬗变为门类多、链条长、触面广、成效显的复合型大行业。以全域旅游为抓手，打造“大众旅游首选地”，使“旅游在荆楚”成为广大人民群众共享改革发展成果、安居幸福美好生活的生动体现。

三、关于下一步推动我省全域旅游工作的相关措施

下一步，我们将大力实施“四大工程”，进一步推动我省全域旅游工作再上新水平。

（一）实施“交通便利化”工程，支撑全域旅游发展。推进全域旅游，基础是交通。一是完善旅游交通大动脉，加快我省旅游与铁路、高速公路和机场、码头等交通枢纽的联络，形成铁水公空立体旅游交通网络。二是建设旅游景观道，按照“路在景中”的思路，以核心景区（5A 级）为指引，打造 5 条旅游景观道。三是加快旅游公路升级改造，尽快实现全省所有 4A 级以上景区通达二级以上公路。四是打通旅游景区肠梗阻，实现高速公路、铁路与景区“最后一公里”的有效连接。五是加快旅游标识标牌建设，形成“覆盖全省、标准统一、使用便利”的旅游标识系统。

（二）实施“五极联创”工程，打造全域旅游网络。推进全域旅游，关键靠支点。我们将按照全域旅游的理念，

以旅游名城、旅游名镇、旅游名村、旅游名景、旅游名店“五极联创”为抓手，促进全省旅游统筹发展和整体发展。“十三五”期间，围绕充实旅游休闲功能、完善旅游集散（节点）功能、优化旅游服务功能、强化旅游产业功能、拓展旅游就业功能，创建50个旅游名城、100个旅游名镇、200个旅游名村；按照“旅游核心景区、旅游服务基地、旅游风情小镇、旅游中心城市”四位一体模式，打造十大核心旅游区；以特色民宿、特色农家乐和特色旅游展销店（美食、娱乐、购物）为重点，努力建成100家特色旅游名店、1000家特色民宿、10000家特色农家乐。

（三）实施“乡村旅游后备箱”工程，筑牢全域旅游底盘。推进全域旅游，难点在乡村。我们将以城、镇、村、景、店为依托，注重设施完善和延伸发展，大力实施乡村旅游“后备箱工程”。一是建设“乡村旅游后备箱示范基地”。建立包括种养加基地、厂店一体化示范点、景区内销售点、交通沿线服务站、乡村集贸市场等在内的供应点体系，其中示范基地达到50个。二是建立“湖北礼道”系列农产品品牌。结合建立和落实质量认证制度，形成30种（鱼虾蟹、瓜果蔬、米面油）“湖北礼道”推荐农产品，以及系列旅游纪念品。三是推广乡村购物之旅。将乡村旅游购物纳入全省旅游产品推广之中，形成10条购物主题的乡村旅游线路。四是加强旅游交通支撑设施建设。适应自驾游发展形势，加强自驾车房车营地、停车场等设施建设，开通以购物为目的的城通乡定点直达免费公交车。通过实施“乡村旅游后备箱工程”，力争“十三五”末乡村旅游在全省旅游经济规模中的占比达到 30% 以上。

（四）实施“服务升级”工程，提升全域旅游水平。推进全域旅游，水平看服务。我们将适应旅游需求新变化，按照“1+3”的整体谋划，以旅游厕所革命为核心，以旅游交通便利化、游客咨询服务中心、智慧旅游为重点，以一带三，深入推进我省旅游公共服务建设，着力构建主客共享、国际水准、体系完备、优质高效、安全舒适的旅游公共服务体系。

湖北在全域旅游发展上虽然取得了一些初步成效，但与国家旅游局的要求和先进省份的成绩相比，还有很大的差距。我们将这次会议的东风，按照国家旅游局的部署和要求，进一步解放思想，强化措施，不断开创我省旅游业发展的新局面。

打造红色品牌　发挥教育功能
为走好新的长征路提供动力源泉

湖南省人民政府副省长　何报翔

非常高兴出席全国旅游工作会议并作发言。近年来，湖南在国家旅游局和中央有关部门、各兄弟省区市的大力支持下，充分发挥丰富的红色旅游资源优势、良好的区位交通优势，着力推进红色旅游融合化、国际化、标准化、品牌化发展，取得了积极成效。2016 年，全省主要红色旅游区（点）接待国内外旅游者 9200 万人次，实现红色旅游综合收入 550 亿元。在红色旅游的支撑和带动下，全省旅游业持续快速健康发展。预计 2016 年全省共接待游客 5.6 亿人次，增长 18.3%；实现旅游总收入 4720 亿元，增长 27.1%; 其中，接待入境游客 240 万人次，增长 6.5%。现将主要做法汇报如下：

一、突出融合发展，创新发展模式

一是坚持合力推动。按照整合资金、重点突破的思路，从 2014 年开始，先后将韶山、炎陵、汝城、宜章、通道等 5 个红色旅游资源丰富的县市，列为文化旅游产业特色县，省财政对每个县市每年给予 6000 万到 1 亿元的资金扶持，连续支持三年。以讲好红色故事、弘扬红色文化为主要内容，支持省直有关单位和社会各界合力组织开展红色旅游进校园、进社区、进景区系列活动，促进红色文化与校园文化、社区文化、机关文化、企业文化、乡村文化有机结合，引导游客追寻红色印记，接受红色教育。二是注重区域联动。省内，加快推进毛泽东、刘少奇、彭德怀伟人故里“红三角”整合开发；以红色为主题，启动了涉及 5 市 14 县的大湘东文化旅游经济带建设；推出了“毛泽东成长之路”“青年毛泽东游学之旅”“三湘抗战之旅”“秋收起义之旅”等 6 条红色旅游线路。国际、省际合作方面，开发了从毛泽东家乡到列宁家乡红色旅游线路；湘潭市与邓小平故里广安市、孙中山故里中山市联合推出了“二十世纪三大伟人故里行”旅游产品线路；韶山与南岳衡山、江西井冈山结成了“三山”旅游战略联盟；株洲茶陵、炎陵与江西井冈山等地联手推出了“共和国摇篮之旅”旅游线路、浏阳与江西铜鼓、修水等 12 县（市）结成“红色旅游发展共同体”

联盟。三是促进产业互动。以湘潭市获批全国红色旅游融合发展示范区为契机，大力推进红色旅游与相关产业的融合发展。韶山市建设了韶之红航天科技农业博览园、现代农业观光示范园、韶山润泽东方文化产业城和红色旅游小镇，投资6亿元打造了大型实景演出《中国出了个毛泽东》，该节目至2014年以来共演出630多场，接待游客近100万人次，带动韶山主要宾馆入住率提高40%以上，推动从“一日游”向“过夜游”转变。以革命老区为重点，以旅游新业态为主攻方向，鼓励和支持平江县、浏阳市、炎陵县、汝城县、通道县等积极探索红色旅游与农业、文化等产业发展的新路子，开发了一批红色旅游与峡谷漂流、避暑休闲、寻根祭祖、温泉、民俗文化等相结合的复合型旅游产品线路。

二、突出国际合作，拓宽发展空间

我们以重点资源、重点景区为纽带，突出重点地区、重点领域，积极推动红色旅游国际化，促进了湖南的对外开放，提升了湖南对外的知名度和美誉度。一是选好合作主题。湖南是新中国开国领袖毛泽东主席的故乡，为此，我们选择了伟人故里这一主题，深化与俄罗斯，尤其是列宁故乡乌里扬诺夫斯克州的合作。湖南也是抗日战争主战场和受降地。为此，我们选择了“和平”这一主题，举办芷江和平文化节，邀请国际友人、旅行社、媒体走进湖南，实地考察红色旅游景区，促进旅游合作，开展经济交流。二是搭好合作平台。2015—2016 年，分别在毛泽东主席家乡韶山、刘少奇主席家乡宁乡，先后举办“中俄红色旅游合作交流系列活动”，巩固和深化两国人民的传统友谊，加强湖南与俄罗斯的经贸交流合作，直接带动了双边入境旅游发展。2015 年湖南接待俄罗斯游客增长 55.57%，2016 年 1—11 月增长 14.66%，是同期全省入境旅游增幅的两倍。2016 年前三季度，湖南通过旅行社组团赴俄罗斯的游客增长了 50.6%。三是建好合作机制。2009 年，湖南与列宁家乡俄罗斯乌里扬诺夫斯克州正式缔结为友好省州关系；去年 6 月，我省旅游部门与该州旅游部门签订了红色旅游发展项目合作协议。同时，我省长沙、湘潭、韶山、芷江等地以友城关系为纽带，相继与列宁家乡、胡志明家乡、戴高乐家乡等国际知名城市开展国际合作。

三、突出标准建设，提升管理质量

以提升景区管理服务质量、提高游客满意度为目标，积极探索红色旅游景区标准化建设，取得了阶段性成果。一是全力推进景区标准化改造。把红色旅游景区改造升级作为全省旅游项目建设的重要内容，近年来，高标准打造了 36 个 A 级红色旅游景区，其中，5A 级红色旅游景区 3 个。全省 27 个红色旅游经典景区中，有 16 个被评为 3A 级以上景区。二是大力推动景区标准化管理。制定了《湖南省省级红色旅游区（点）评定规范》及评分细则，以此标准为依据评定了 53 家省级红色旅游区（点），推动获评景区标准化管理、规范化经营。三是扎实推进韶山国家红色旅游服务业标准化试点。经过几年创建，编写并被国家标准委确定的红色旅游服务业标准达到 112 个，其中，毛泽东广场管理处的献花仪式、“毛主席回乡宴”“毛氏红烧肉”等首次制定了国家标准，形成了全国特有的韶山红色旅游服务行业标准体系。

四、突出品牌打造，擦亮红色名片

一是打造了一个品牌节会。从 2004 年开始，我省结合建党、建军、建国重大纪念活动，毛泽东诞辰 120 周年、平江起义 80 周年、湘南起义 70 周年、通道转兵 80 周年、抗战胜利 70 周年、胡耀邦诞辰 100 周年、长征胜利 80 周年等重大纪念活动，连续 13 年成功举办了中国湖南红色旅游文化节，打造了特色鲜明的湖南红色旅游品牌节会。二是举办了一些主题活动。近年来，相继举办了“中国红色之旅一百万共产党员韶山行”“百万青少年韶山行”“百万自驾车韶山行”活动、“重走秋收起义路”、湖南省大学生红色旅游景区导游大赛、“乘坐红色专列、重温入党誓词、观看红色大戏”大型主题教育活动、红色旅游故事大赛、红色旅游火炬传递、“铭记历史·圆梦中华”湖南红色旅游主题活动等，持续掀起全省红色旅游发展高潮。三是创作了一批红色作品。组织出版了《湖南红色旅游区（点）导游解说词》《湖南红色旅游地图集》《湖南省革命旧址通览》《湖南红色旅游指南》等一批红色旅游书籍，支持拍摄了《青年毛泽东》《恰同学少年》《通道转兵》《彭德怀》《青春激荡的岁月》等红色影视作品，创建了红色旅游网站，推出了大型红色实景演出，全面推介湖南红色旅游，营造了健康浓郁的红色旅游氛围。

各位领导、同志们，我省红色旅游发展虽然取得了长足的进步，但是与中央的要求和兄弟省市区相比较，与人民群众的期待相比，还有不小的差距。我们将以这次会议为契机，充分发挥红色旅游资源优势，大力实施全域旅游战略，为加快建设旅游强国做出积极贡献！

贯彻全域旅游新理念
打造"一带一路"旅游合作新高地

广西壮族自治区人民政府副主席　张晓钦

近年来，广西认真贯彻落实国务院和国家旅游局的决策部署，以全面担当习近平总书记赋予广西构建面向东盟的国际大通道、西南中南地区开放发展新的战略支点、"一带一路"有机衔接的重要门户"三大定位"新使命为核心，以加快推动全域旅游发展为主线，以丰富和创新旅游产品及服务供给为动力，不断深化与东盟旅游合作，全力将广西打造成为"一带一路"旅游合作的新高地。

一、以中越德天—板约国际旅游合作区建设为重点，创新国际旅游合作机制

2015 年 11 月 5 日，在中越两党总书记的见证下，中越两国政府签署了《关于合作保护和开发德天（板约）瀑布旅游资源的协定》，中越德天—板约国际旅游合作区成为

我国首个跨境旅游合作区。作为全球第四、亚洲第一的跨国瀑布，德天—板约瀑布以其原始的自然美、生态美和跨国风情，每年吸引游客超过百万人次。

建设好跨境旅游合作区，是中央赋予广西“一带一路”建设的重要任务，也是广西推动国际旅游融合发展的重要探索。一是要准确把握合作创新、开放共享的基本原则。中越跨国瀑布合作与开发的谈判历经十多年，只有在充分尊重各自主权、把握底线思维的基础上，平等协商，照顾各方关切，才有可能共享合作与开放带来的收益。双方建立了省级协调委员会，并建立司局级联合工作组，保持常态化协商沟通，联合制定共同开发总体方案。二是坚持规划引领、保护优先。采取共同规划、各自委托的做法，邀请双方均能认可的第三方规划机构，编制合作区的概念规划。对这一国际级的旅游资源，生态保护必须放在优先位置，妥善处理合理保护与适度开发的关系。三是先易后难、分步实施。跨国合作具有复杂性和不确定性，不能急于求成。根据双方初步达成的意见，合作区建设将分两步走，第一步是在现有景区条件下，实现核心区范围内的跨境自由行；第二步是升级合作区软硬件水平和辐射带动能力，实现核心区与配套区互动发展。四是便利安全、联合管理。创新跨境旅游管理机制，将游客进入合作区视为入区游，不作为出境游，实行“一口进出”，争取中越两国公民持身份证进出的便利化政策。实行信息共享，执法互助，标准对接，联合监管。五是利益分享、互利共赢。德天—板约瀑布的游客构成是中方占大头，越方对开放带来的增量收益十分看重。双方协商建立增量分成机制，尽量照顾越方利益诉求。下一步，我们将全面落实两国政府协定，将德天—板约瀑布建成全国首个国际旅游合作试验区，打造成为中国面向“一带一路”沿线国家的旅游合作典范。

二、以实施“旅游 +”战略为带动，深化区域一体化合作

广西充分发挥旅游业对多领域合作的开放包容、引领带动作用，以“旅游 +”拓展旅游发展新领域，丰富“一带一路”内涵，助推区域“五通”和一体化发展。

一是“旅游 + 信息港”。去年 4 月国务院正式批准中国—东盟信息港建设方案，以南宁为核心基地，围绕基础设施、信息共享、技术合作等五大平台，打造以广西为支点、面向东盟的信息网络体系，构建中国—东盟信息丝绸之路。目前，中国—东盟信息港已设立南宁国际出入口局，拥有 4 个陆缆边境站和 12 条陆地跨境光缆，带动北斗导航系统走进东盟国家。我们将旅游作为信息港的优先合作和应用领域，与阿里巴巴等合作伙伴建立旅游云，与千寻位置网合

作北斗导航地基增强系统，与东盟开展旅游大数据工程，依托信息港提升中国—东盟区域旅游信息化水平，推进智慧旅游。

二是“旅游＋交通走廊”。广西与东盟围绕“两港一廊”，推进旅游基础设施对外合作。海上，全力打造北部湾区域性国际航运中心，加快北海邮轮港建设，与东盟国家 47 个港口共同构建中国—东盟港口城市合作网络，开辟海上直达航线，参股马来西亚关丹港、文莱摩拉港等海上丝绸之路沿线港口，有力推动了海上丝绸之路旅游带建设。空中，着力建设面向东盟的国际枢纽空港，已开通与东盟 9 个国家的 23 条航线，组建了北部湾航空公司。陆上，着力将“一带一路”规划的六大走廊之一中国—中南半岛经济走廊打造成为旅游走廊，开通广州、深圳以及成都、重庆通过凭祥、东兴与越南等国的直达客运车辆，依托经济走廊推动跨境自驾车旅游，开发跨境旅游精品线路。近四年，东盟国家到广西的游客人数年均增长 13%。

三是“旅游＋园区”。目前，广西已与东盟 8 个国家建立了国际合作园区，包括中国—马来西亚钦州和关丹“两国双园”、中国—印度尼西亚经贸合作区、中柬现代农业示范中心、中老种子种苗合作区等。在这些跨国园区合作中，我们都植入旅游要素，推进滨海游、工业旅游、农业休闲游、风情小镇游、商务会展游等，推进产城游融合发展，发挥旅游在增进经贸合作、人员往来等方面的催化作用。

四是“旅游＋贸易”。根据张高丽副总理在中国—东盟博览会上的倡议，广西正积极创建国家进口贸易促进创新示范区，发展进口消费品专业市场，促进旅游购物。积极在东盟国家建立境外采购中心，打造面向东盟的跨境电商基地。在跨境旅游合作区内开设进境免税店，在边贸市场让游客享受边民互市贸易 8000 元免税购物的政策，畅通中国—东盟旅游购物渠道。

五是“旅游＋人文交流”。广西将中国—东盟人文交流作为区域旅游合作的重要载体，积极打造“旅游＋体育”“旅游＋文化”“旅游＋教育”等知名品牌。南宁·东盟国际龙舟邀请赛自 2004 年已连续举办 12 届，中国—东盟国际汽车拉力赛自 2006 年已成功举办 10 届，在东南亚形成了广泛影响力。今年的汽车拉力赛从南宁出发，历时 19 天、途经 8 个东盟国家、行程约 1 万公里，东盟副秘书长、东盟各国常驻代表等出席收车仪式。明年是中国—东盟旅游年，应东盟秘书处要求汽车拉力赛将从东盟秘书处发车。目前，广西正举办“中国杯”足球赛，还将与国际自行车联合会举办世界最高级别的环广西公路自行车赛。留学生产业是广西近年着力打造的重点领域，在广西有 1 万多名东盟留学生，占全国的五分之一。广西还依托壮瑶医药等特色中医药资源，积极发展中医药健康医疗旅游、养生旅游。

这些都丰富了跨国旅游合作的业态和内容。

三、以旅游合作为依托，助力周边外交战略

目前，加强旅游合作已经成为我国与东盟国家外交的重要组成部分。东盟国家领导人在每年的中国—东盟博览会开幕演讲中，都提出希望建立旅游合作机制、引进更多的中国游客，欢迎中国投资者到东盟国家投资旅游设施。至今，中国—东盟博览会已推介了100多个中国和东盟魅力之城的旅游资源。深化旅游合作也一直是广西与越南边境四省联工委会晤的重要议题，边境游给边境居民增收带来了机遇，使边境更加稳定、繁荣。广西依托红色旅游资源，积极打造跨国红色旅游精品线路，设计开发了胡志明足迹跨国游，组织老挝六七学校校友重返广西游，通过旅游增进人脉工程，培养更多的知华友华人士，成为民心相通的重要载体。

四、以改革创新为突破，推进区域旅游便利化、自助化

广西正积极推动与越南、马来西亚等东盟国家探索“两国一检”国际通关新模式，实现信息互换、联合查验、游

客一站式通关。正在积极推进为自驾车辆统一办理保函，简化自驾游车辆出入境手续。东兴口岸一年出入境人次已突破 600 万，推行了旅客自助通关，日均过客能力超过 2 万人次。从 2015 年 5 月起，桂林口岸对东盟 10 国旅游团队实施 6 天入境免签政策。目前，正积极与越南沟通确定旅游线路，力争尽快实现异地口岸出入境，形成旅游环线，营造更加自由、便利、舒适的旅行环境。广西已经与东盟国家建立了 50 对国际友城，推动 6 个东盟国家在南宁设立总领事馆，签证等服务更加方便，地方政府间的合作机制，也有利于促进双方的旅游合作政策创新。

五、以完善机制为抓手，搭建区域旅游合作的公共平台

从 2015 年开始在国家旅游局的大力支持下，每年在桂林举办中国—东盟博览会旅游展，搭建了中国各地与东盟各国旅游交流合作、宣传推广的国际性平台，推动了中国—东盟旅游投资和消费增长。近年来，借助中国—东盟旅游展平台签约的新加坡阳朔悦榕庄酒店、新加坡瑞盛休闲度假区等项目先后建成并投入运营。2006 年以来，广西连续举办了 10 届联合国世界旅游组织 / 亚太旅游协会旅游趋势与展望国际论坛。借助中国—东盟旅游人才教育培训基地，

先后为柬埔寨、老挝等东盟国家开展旅游人才培训 1000 人次。国家旅游局、国家中医药管理局与广西壮族自治区政府共同搭建了“巴马论坛”—中国—东盟传统医药健康旅游国际论坛。这些平台和机制正在为区域旅游合作提供越来越好、越来越有效的公共产品。

今年是中国—东盟旅游年，为进一步深化“一带一路”国际旅游合作，借此机会提出两点建议：一是恳请国家旅游局继续指导广西办好中国—东盟博览会旅游展和巴马论坛，支持中国—东盟旅游部长会议中方会址设在广西。二是加大对中越德天—板约国际旅游合作区的指导，协调国家相关部委赋予更多的先行先试政策。广西将深入贯彻国家“十三五”旅游业发展规划和本次会议精神，以全域旅游发展新理念，进一步深化与东盟的旅游合作，为“一带一路”旅游合作做出新的贡献。

改革创新　放大优势　旅游先行
把新疆建设成为丝绸之路经济带
旅游集散中心

新疆维吾尔自治区人民政府党组成员　黄三平

新疆地处亚欧大陆腹地，是丝绸之路经济带的重要节点、我国实施西部大开发战略的重点地区、国家向西开放的重要门户，新疆地域辽阔，区位条件突出，旅游资源丰富，发展潜力巨大，是全国旅游资源最为富集的省区之一，也是我国旅游业发展的重要战略区。第二次中央新疆工作座谈会以来，我们依托得天独厚的旅游资源优势和区位优势，紧扣新疆社会稳定和长治久安总目标，瞄准稳疆富民着力点，以贯彻落实第二次中央新疆工作座谈会提出的“将新疆建设成为丝绸之路经济带旅游集散中心”为中心，主动融入国家“一带一路”战略，探索形成了一整套促进旅游业提质增效的发展思路，创新实施了一系列支持和加快旅游业发展的政策措施，有力推进了旅游业快速发展。

一是旅游综合实力大幅提升，带动作用明显。“十二五”期间，新疆累计接待国内外游客2.5亿人次，实现旅游总收入 3056.9 亿元，比“十一五”时期分别增长了 120% 和 187%。2015 年，新疆旅游总消费首次过千亿，正式进入千亿产业之列。2016 年我区旅游业继续保持强劲发展势头，预计全年接待旅游人数将超 8000 万人次，旅游总消费 1400 亿元，旅游正在步入高速增长的新阶段。

二是综合交通网络基本形成，旅游出行更加高效便捷。铁路方面。到 2015 年，我区铁路营运里程达到 6152 公里，兰新铁路第二双线开通运行，正式进入高铁时代。公路方面。到 2015 年，新疆建设高速公路总里程达到 4316 公里，新建 2 条国家级旅游风景示范公路，重点旅游景区“断头路”问题基本解决。全区私家车由 2010 年的 127.14 万辆激增到 208.62 万辆，自驾游蓬勃兴起，成为主要的出行方式。民航方面。民用机场增加到 18 个，开通国际旅游航线 27 条，国内旅游航线 156 条，直达 19 个援疆省市省会城市的航线全部开通，运营航空公司达到 32 家。喀什、库尔勒、阿克苏、伊宁、和田等支线机场每天有 10 个以上航班运营。直接服务旅游经济的喀纳斯机场、那拉提机场、可可托海机场，成为拉动当地“三产”发展的强力引擎。

三是旅游综合服务体系逐步完善，住宿、餐饮体验更加多元。希尔顿、喜来登、锦江等一批国际连锁酒店集团落户新疆，如家、汉庭、七天等国内快捷酒店巨头加速布局新疆市场。家庭宾馆、乡村客栈、汽车旅馆和旅游宿营地等新业态蓬勃兴起，旅游综合接待能力显著增强。在携程、去哪儿、同城三大在线旅游服务网站注册销售酒店均超过4500家，其中去哪儿网超过6000家。在蚂蜂窝网上销售餐饮点达到4156家。连续成功举办清真美食节、旅游文化美食节等一批节庆活动，在展示新疆美食文化的同时，架起了世界了解认识新疆、新疆走向世界的新桥梁。

四是品牌效应已经显现，旅游目的地精品集群格局初步形成。打造了一批国内一流乃至世界级的旅游精品，已建成国家5A级景区11个，国际高原风情旅游目的地1家，国家生态旅游示范区2家。天山天池景区成为世界自然遗产地，喀纳斯成为世界旅游组织在中国设立的第四个旅游可持续发展观测点。建成中国优秀旅游城市12座，阿勒泰成为世界旅游城市联合会创始会员，集观光、休闲、度假于一体的旅游产品体系基本形成。中国—亚欧博览会、全国第十三届冬运会、中国西部冰雪旅游节、中国新疆春季旅游产业交易博览会、中国新疆国际舞蹈节、环塔拉力赛、赛里木湖自行车赛、博湖国际帆船节等一批大型会展、节庆、赛事活动，成为旅游目的地营销的新亮点。

旅游业的蓬勃发展，全面展现了新疆社会稳定、民族团结、安居乐业的良好局面，大大提升了新疆的形象和影响力，进一步鼓舞提振了全区各族人民实现社会稳定和长治久安总目标的信心和决心。实践证明，我们坚持不懈地将旅游产业作为战略性支柱产业发展，通过抓旅游业带动相关产业发展、促进就业和城乡统筹发展、加强生态文明建设的决策部署是完全正确的，是符合旅游业发展方向和新疆实际的。实践也表明，新疆旅游业的发展，离不开上上下下、方方面面的支持帮助，借此机会，对各有关部委和兄弟省区市，特别是对国家旅游局的真诚关心、亲切指导，对援疆省市大力支持、无私援助，表示衷心的感谢。

在推动旅游产业发展实践中，我们重点开展了以下方面工作：

一、坚持规划引领，扎实推进旅游产业科学发展

我们着眼科学发展和可持续发展，高标准编制完成了一批旅游产业规划，形成了以自治区级规划为总纲、地州市规划为框架、景区规划为基础的旅游产业发展规划体系。同时，注重强化旅游规划的法定地位，坚持规划引领发展、规划指导建设，通过规划将各级党委政府对旅游业发展的要求和市场对资源配置的决定性作用有机结合起来，构筑了旅游产业发展的坚实基石。在旅游景区规划与开发中坚持有所为、有所不为。组织开展了全区旅游资源普查工作，建立旅游资源信息化数字模型，划定旅游开发红线，明确了旅游资源鼓励开发区域、合理开发区域和限制开发区域，

坚决防止竭泽而渔、各自为政，搞低水平开发和破坏性开发，切实保护生态环境和旅游人文资源，让独特的旅游文化和自然生态资源得到全面保护、合理开发、永续利用。

二、坚持改革创新，培育壮大旅游市场主体

旅游要发展，必须要有一批管理现代化、资本实力强的大企业大集团作为支撑。我们始终坚持“突出重点、扶优扶强”原则，推动政策、资金、人才等向重点旅游项目倾斜。一是构建旅游投融资平台，加快建设一批旅游重大项目。积极推进设立旅游产业发展基金，研究制定旅游产业重大项目贴息补助办法，充分发挥并放大财政资金的杠杆作用，撬动社会资本进入旅游基础设施、旅游产品研发、旅游资源开发等领域，形成多元化投资格局。加快推进组建新疆旅游产业集团，下大气力培育本土旅游产业龙头企业，破解旅游企业规模小、实力弱、集约化程度低等突出问题。二是广泛吸引社会资本投资旅游开发。杉杉集团、中航通飞、中集集团等一批企业旅游投资项目落户新疆。2016 年 36 个旅游项目以 PPP 模式列入自治区项目库，20 个项目列入全国优选旅游项目建设。2016 年，全区开工在建旅游项目 359 个，实际完成投资 140.2 亿元，同比增长 21%。三是加强旅游基础设施建设。各旅游城市普遍设立了

旅游集散中心和咨询中心，配套了旅游公共服务设施，旅游目的地体系建设持续推进。2016 年，争取国家旅游基础设施专项建设基金 11.6 亿元，中央预算内资金 4240 万元，安排自治区旅游发展资金 5050 万元，用于旅游基础设施建设。整合各类资金 1.5 亿元，新建改建旅游厕所超过 300 座，进一步优化改善了旅游环境。

三、坚持特色发展，打造旅游精品

产品是旅游产业发展的核心竞争力。建设旅游强区，关键要打造旅游精品，提升区域旅游品牌的知名度、美誉度和影响力。近年来，我们坚持把旅游精品建设作为打造核心竞争力的重要支撑加以推进，在巩固提升现有 5A 级景区的基础上，全面实施了 5A 级景区倍增计划，突出重点、梯次推进有条件的景区创建国家 5A 级景区，建成了一批特色鲜明、吸引力强、具有影响力和市场竞争力的旅游新业态产品，初步形成新疆特色的优势旅游产品体系。目前，全区建成 5A 级景区 11 家，比 2010 年增加了 8 家，另有 16 家景区正在积极创建 5A 级景区，为我区旅游精品建设再上新台阶储备了充沛力量。有序推进特色旅游目的地、生态旅游示范区等建设，喀什、吐鲁番、石河子 3 地列入中国国际特色旅游目的地创建名单，那拉提、巴尔鲁克等景区成功创建国家生态旅游示范区，喀纳斯成为中国首个经过认证的国际标准徒步旅游目的地，并成功创建首批国家绿色旅游示范基地，我区旅游目的地知名度和影响力持续增强。

四、打造新产品，开发新线路，培育新业态

结合旅游市场个性化、特色化、体验化、休闲化发展趋势，统筹推动旅游业与各产业深度融合发展，推动旅游产品向观光、休闲、度假并重转变。实施 100 个新业态重点项目，总投资 547 亿元，重点加大旅游线路培育和公共服务体系建设投入力度，涵盖了自驾营地、房车旅游、温泉度假、主题文化、沙漠探险、旅游演艺、现代酒庄、健康养生、低空观光、湿地观光等多种形式，拓展和延伸了旅游业的新要素。重点培育特种自驾旅游产品，编制专项规划，制定促进自驾车房车营地建设与管理实施方案，连续7年举办中国新疆国际特种旅游节，发布自驾游精品线路，提升自驾旅游产品市场影响力。目前，全区建成和在建自驾车营地 25 处，总投资 14.7 亿元，总营位数量 1.2 万个。积极推进低空旅游产品发展，编制航空旅游发展专项规划，建设通用航空旅游 8 大片区 5 大精品线路产品，力争把新疆打造成为中国通用航空旅游发展新高地。创新推出了“花儿为什么这样红”系列旅游品牌产品，形成了 40 多个观花

赏花为主题的旅游产品。实施全国铁路旅游引流入疆工程，开发“乘着火车游新疆”旅游品牌，2016 年开行旅游专列 153 列，疆内旅游列车 162 列，打破了全国各省一年内向同一省区发送旅游专列的最高纪录。

五、坚持旅游富民，扎实推进旅游精准扶贫

旅游业是新常态下稳增长、调结构、惠民生、促转型的重要抓手。这些年，我们在做大做强旅游产业的同时，主动把旅游业发展融入扶贫开发战略中，积极带动贫困地区、贫困人口尽快脱贫，重点做了以下几方面工作：

完善旅游扶贫台账，确定具备发展旅游条件的建档立卡贫困村，制定旅游精准扶贫五年行动计划，以南疆为重点，坚持“一地一策”原则，制定旅游助力脱贫攻坚任务实施方案，力争在“十三五”期间通过发展旅游业带动 30 万人脱贫。把旅游业作为特色乡镇建设的重要产业支撑，创新载体和模式，把乡村旅游作为推进旅游发展的重要增长点和促进农牧民就业增收的重要渠道，2016 年安排专项资金 4000 万元，实施村级旅游扶贫重点项目，组织开展了旅游万企万村帮扶专项行动、旅游规划公益扶贫活动和旅游就业万人培训计划等。制定出台《自治区乡村旅游促进管理办法》，成为全国首个促进乡村旅游的省级政府规章。

六、坚持旅游先联先通，不断扩大旅游对外开放合作

近年来，我区旅游业充分发挥地缘、资源、人文优势，不断加快对外开放步伐，形成了以旅游为先导、带动对外人文交流与经贸合作的良好局面。特别是针对哈萨克斯坦等丝绸之路经济带重要沿线国家，在旅游签证便利化、旅游人才培训、旅游宣传促销等方面开展了一系列务实合作，取得了丰富成果。2016 年 7 月 15 日，中国公民赴哈萨克斯坦团队旅游协议正式生效；8 月 5 日，国家旅游局在我区成功举办中国公民赴哈团队旅游首发仪式，有力促进了我区与周边国家旅游合作。今年是哈萨克斯坦“中国旅游年”，这是推进中哈旅游合作发展的历史性机遇。抢抓这一重大机遇，争取国家更大支持，促成在我区举办一系列重大旅游活动，将成为我区旅游业对外开放的又一重大机遇。目前，各项工作正在加紧推进中。

七、坚持整合资源，叫响“辽阔疆域 无限风光 新疆是个好地方”

围绕叫响“辽阔疆域 无限风光 新疆是个好地方”的总体形象品牌，加快建立完善“政府、媒体、企业、中介”

四位一体的宣传体系，形成多部门、多层次联合协作的强大合力，发出新疆声音，讲好新疆故事。重点依托互联网和新媒体加强营销推广，切实提升互联网平台宣传营销效果。在国内主要客源地挂牌成立了新疆旅游推广服务中心，在韩国、俄罗斯、哈萨克斯坦等国设立了7个新疆旅游海外营销中心，提升旅游营销的本土化、常态化。用好对口援疆优势，全面开展“万人游新疆”客源援疆工程，援疆省市旅游市场份额逐年扩大。重点加大冬春旅游宣传推广力度，连续5年开展冬春旅游主体营销活动，推出近200个主题活动，活跃冬春旅游市场，今年冬春旅游人数预计可达2400万人次，已经成为新疆旅游新的增长极。

八、坚持依法治旅，持续重拳整治旅游市场秩序

我们连续4年开展全区旅游服务质量专项整治行动，累计处理旅游企业505家。其中取消星级饭店53家，整改115家；取消A级景区24家，降级5家，整改或警告153家；撤销旅行社117家，整改38家。2016年，自治区人民政府下发《全区旅游服务质量年行动方案》，首次在全区范围内实施旅游服务质量年行动，14个部门联动重拳整治旅游市场秩序。全年累计出动检查力量4.6万人次，检查旅游企业和旅游经营户3.1万家次，检查旅游从业人员6.1万人次；

责令整改餐饮企业 2659 家次；撤销 A 级旅游景区资质景区 11 家；取消星级饭店资质 28 家、限期整改星级饭店 31 家；通报旅行社 7 家，约谈旅行社 25 家；查处了一批扰乱市场秩序、侵害游客合法权益的典型案件。通过有效整治，我区旅游有效投诉案件由 2015 年的 493 件下降到去年的 246 件，降幅近 50%，旅游市场秩序显著改善。今年，我们将以提升旅游服务质量作为突破口，继续开展旅游服务质量年行动，持续优化旅游市场秩序，为国内外游客营造更加安全、舒适、高效的出行和服务体验。

李金早局长的工作报告，安排部署了新一年旅游工作，目标明确、任务清晰、措施到位，我区将认真做好学习传达工作，结合自治区实际，分解工作任务，落实目标责任，全力以赴抓好贯彻落实。借此机会，再次感谢国家旅游局和各兄弟省区市对新疆旅游工作的大力支持，欢迎大家多到新疆走一走、看一看，热情好客的新疆人民将永远是大家最真诚的朋友！

第 三 篇

分组讨论情况汇报

第 一 组

江苏省旅游局局长　秦景安

一、对大会主报告的几点认识

根据会议安排，第一组的 26 名代表围绕金早局长的报告，结合各地实际，展开了深入研讨。大家在发言当中畅所欲言，纷纷谈感受、谈建议。集中起来讲，大家认为李局长的报告：

一是站位高，站在中央关于旅游供给侧结构性改革的高度，站在贯彻十八届六中全会和中央经济工作会议要求的高度。

二是视野宽，报告回顾了“515 战略”实施以来两年的成就，提出了当前旅游发展中面临的 10 个方面的问题、三步走战略、今年的 15 个方面、42 项工作，内容十分丰富，视野很宽。

三是导向准，提出的目标、方向、存在的问题、需要研究的问题，指向很准。大家感到，“515 战略”实施两年多来，真心感到国家旅游局真正在研究问题，包括在这次会议上对《当代旅游学》征求意见，这是历史性、具有里程碑意义的。国家旅游局真正在干事，这几年做的事情，的的确确引起了方方面面的好评，真正在提升旅游业的地位和影响力。影响力表现在三个方面：在中央领导和中央国家机关中的地位有了明显提高，中国旅游业在国际上的影响力有了新的提高和扩大，旅游业在老百姓的感情上、旅游者当中的影响力与日俱增。同时，也感觉到大家对旅游的发展，既充满信心和激情，又保持了清醒的头脑和务实的作风。

关于对旅游发展方面的建议，有以下几个方面：

一是要更加重视旅游规划特别是“十三五”旅游规划的实施。大家在讨论中讲到，这次“十三五”旅游业发展规划能够由李克强总理签批，作为国家的重点规划来发布，是破天荒的，来之不易！对我们各地来说，关键是要付诸实施。针对“十三五”规划，进一步分解任务，包括年度任务、条条任务。通过规划的实施，进一步把旅游业在国民经济和社会发展当中的位置巩固和提高。

二是要更加强化以质量和效益为中心这一导向。大家谈到，中国旅游业现在发展很快，各地旅游发展势头都很好，从规模上来讲，增长速度都很快。在这种情况下，尤其要防止盲目性，要引导旅游业走质量强旅的道路，在旅游投资、旅游项目建设中强调特色化、个性化发展，防止低水平重复建设，防止一哄而上。正如汪洋副总理提出的在保护与开发的问题上，宁可荒、不能慌。鼓励各地创新，百花齐放。各地也要从实际出发进行创新。

三是要更加注重夯实旅游基础工作。大家认为旅游发展速度越快，势头越好，基础工作越是要夯实。国家旅游局在旅游统计上取得了开拓性突破，但现在有的地方几乎没有旅游统计的人员，要切实强化旅游统计队伍建设。统计是法定的政府职能，是科学发展的基础性工作，只能加强不能削弱，这是科学决策。

四是要更加突出以共建共享为目标的旅游公共服务建设。旅游公共服务是旅游业健康发展的前提。这几年国家旅游局大力推进旅游公共服务，已经有了很好的进步，特别是厕所革命。在推进全域旅游战略当中，公共服务可以说是全域旅游发展的基础，离开了公共服务，离开了旅游的基础设施，全域旅游就缺乏了条件。我们从实践中感受到，旅游不是画地为牢，应该是要区域协同的，包括一些交通、通信和其他公共设施，如咨询中心、集散中心。大家反映，有的地方一日游之所以矛盾问题比较多，归根到底还是服务跟不上；相反，有些地方一日游比较规范，就是因为公共服务做得好。比如，南京旅游委主任提到，发展全域旅游三句话：处处有风景、时时有服务、人人都安全。所以，我们感觉到共建共享是旅游业发展的根本目标，要把这一项工作进一步强化。

以上是我们一组讨论的内容，不当之处请提出批评。

第 二 组

黑龙江省旅游发展委员会主任　锡东光

第二组主要由东北三省一区的同志组成，杜江副局长参加了小组讨论。现将讨论情况作一汇报。

大家普遍感到，李金早局长所作报告提纲挈领、重点突出、富有新意，是一个符合中央精神、工作实际和形势需要的报告。

大家对“515 战略”实施以来，国家旅游局所做的工作和全国旅游事业的发展给予了充分肯定和高度评价，主要体现为“五个前所未有”：

一是受重视程度前所未有。党中央、国务院出台的文件中有 62 个涉及旅游工作，发布了 19 个旅游专题政策文件；31 个省区市都将旅游业作为战略性支柱产业加以优先发展，这些都是空前的。

二是管理机构的强化前所未有。在国家旅游局特别是金早局长的直接倡导和支持下，变不可能为可能，全国 20

个省区市、155 个地（市）相继设立旅游委，犹如开闸之水滚滚而来，呈燎原之势。

三是推进力度前所未有。全国旅游工作全面布局、整体推进、攻坚克难、亮点频出，实现了“十二大突破”，成绩斐然，可圈可点，众口皆碑。

四是在国民经济和外交中的地位作用前所未有。我国旅游业的影响力日增，成为国民经济的战略性支柱产业，旅游外交的作用和分量突显。

五是发展势头前所未有。不论是“三步走”战略，还是 2017 年 15 项重点工作的提出，都为今后旅游业的发展指明了方向，都具有非常高的统领和指导意义，也进一步坚定了我们旅游人奋发进取的信心和干劲。

大家也提出了一些建议，主要有“五个方面”：

一是在顶层设计方面，恳请国家旅游局牵头制定东北三省一区区域旅游发展规划和“北国冰雪”等全国旅游“十大品牌”发展规划，整合区域旅游资源，突出差异和特殊，有的放矢地指导各省实施品牌建设，并联动营销，轮办大型节庆活动。恳请把大连定为邮轮旅游试验区。进一步统一旅游统计工作。

二是在对外宣传方面，加大对世界城市冰雪合作组织和冰雪旅游推广联盟的支持力度，充分发挥 2022 年冬季奥运会的引领和拉动作用，恳请将“北国冰雪”旅游品牌和精品宣传列入国家旅游局年度外交活动计划。由国家旅游局组织，冰雪旅游推广联盟承办，每年开展两次以上面对目标客源国的专题促销活动，全面提升我国冰雪旅游在境外的知名度和吸引力。

三是在政策扶持方面，恳请国家旅游局更加重视开拓俄罗斯旅游市场，积极协调海关等有关部门，修改中俄两国团体旅游免签人数限制，建议由 5 人修改为 3 人，延长停留时间至 40 天；加强旅游项目土地使用差异化政策落地跟踪调研和高层协调。

四是在旅游市场整治方面，建议实施跨省、跨区域不定时交叉暗访制度，加大对违规旅游企业的曝光频度，打持久战，对旅游市场形成常态化的高压态势。

五是在干部培训方面，建议举办几期政府主管领导和省市旅游局长参加的研讨班，轮训一遍。

第 三 组

江西省旅游发展委员会主任　丁晓群

第三组参加讨论的同志主要来自浙江、福建、江西，国家旅游局世宏副局长和有关司、处长到会指导。归纳起来是：讨论很务实、发言很坦诚、表扬很上心、建议很励志。现将我们第三组的情况报告如下：

一、集中感受

无论是资深的旅游人还是新晋的管理者，无不感到现在全国旅游发展的大好形势，无不从中受到鼓舞。大家感恩于十八大以来，以习近平总书记为核心的党中央创立了太平盛世，高举五大发展理念大旗，可谓是国盛民振，给旅游业带来了无限的生机和活力；首届世界旅游发展大会在中国北京举行，吸引参会者面广人众，显来朝之态势并非出自礼节；大家感念于国家旅游局以金早局长为班长的党组，识大体、顺大势，主动担当、全面履责，描绘了时空交织的“路径图”，打出了刚柔兼济的“组合拳”，撒下虚实并济的“政策雨”，祭出了宽严有度的“绝杀令”；大家感怀于遇上了可以大显身手的好机会，赶上了备受关注的“换频道”。来得早不如来得巧，这波行情抓得紧，人生一世留佳名。不怕怀才不遇，就怕怀遇不才！

二、几大变革

一是风花雪月与壮怀激烈。过去旅游局好比是一个郁闷的小资，现在变成了一个行吟的壮士。不光是旅游局改成了旅发委，业务由单一向综合、由边缘向核心、由自弹自唱向社会交响、由既能发声又能发力的转变。旅游局的机构从上到下发生了非常大的变化，几个省的同志都深有感受。

二是志在必夺与志存高远。金早同志到国家旅游局以后，在 2015 年的全国旅游工作会议上提出了“515 战略”，这是金早局长为班长的国家旅游局，面对全国旅游的特殊背景、特殊形势、特殊困难、特殊机遇，迎矛盾而上，破难题而进，这叫志在必夺。两年多来，成效显著、战果斐然、打击精准、响应者甚众，这就是志在必夺。这次金早局长的报告中提出分三步走的战略，与中华民族两个百年梦想、与伟大的民族复兴、与中华民族长远的战略摆在一起来思考，有历史的纵深感，这是谋划的战略性。这种从针对性、操作性到战略性的大跨度，就是志在必夺、志存高远。

三是人民中心与需求导向。其一是人民中心，大家都感到大众旅游时代的到来。大众旅游时代应当是参与者众、创造者众、监督者众、享乐者众、收益者众的五众时代。人民应该是旅游的中心，国家旅游局这几年的一系列政策都是围绕人民为中心而制定的。其二是需求导向，旅游业天然地在供给侧顺应需求，而需求始终在变。在整个旅游行业中，供给侧结构性改革始终没有懈怠过，始终在与需求对接。旅游业可以扶贫、可以富民、也可以悦众；在贫困地区要扶贫，要发展地区要富民，在未来更要让广大人民群众享受到快乐，这就是所谓的获得感和幸福感。

三、几点建议

一是国家旅游局与其他部委联合出台了很多好政策，各地要抓落实、抓督查、抓重点，恳请国家旅游局带领大家形成一套办法。

二是各地要避免在旅游方面的数字竞争、简单对比，特别是不加限制的数字攀升、攀比，也要注意避免投资方面的盲目性和风险性，这也是为了可持续发展。

三是关于旅游对社会的贡献。现在我们有实实在在的数据，旅游的贡献应该有更多视觉的延展，在一定的台面和机会表达出来，让党政领导、社会舆论能够感受到旅游对社会的综合和真实贡献。

四是旅游人才。中国旅游发展到今天，旅游人才严重不足。不光是数量不足，创新力量、新锐力量更加不足，管理总体上比较滞后。恳请国家旅游局带领大家努力解决在岗培训、也要解决人才吸纳的问题，包括学科建设等的问题。

第 四 组

山东省旅游发展委员会主任　于风贵

按照会议安排，今天上午第四小组围绕学习贯彻李金早局长所作的工作报告进行了热烈讨论。我们小组除了部分省市旅游部门负责人外，还有部分重点旅游城市领导、部分重点旅游企业负责人和部分国家旅游局驻外办主任参加，国家旅游局魏洪涛副局长莅临指导。大家踊跃发言，气氛热烈。受第四小组全体同志委托，我把小组学习讨论情况向大会简要汇报如下。

大家一致认为，李金早局长所作的工作报告，气势不凡，信息量大，思路清晰，措施有力。其中，“十二大突破”成果斐然，听后令人振奋。报告中提出的“三步走”战略，高度契合国家发展战略，描绘了未来旅游业发展的蓝图。在讨论中，大家深刻地感受到：国家旅游局提出“515 战略”以来，在以李金早局长为班长的国家旅游局党组的领导下，旅游业已经成为经济社会发展的新动能和转方式、调结构、惠民生的主战场，引起各方面的高度关注。具体体现在“三个空前”上。一是中央领导空前重视，习近平总书记多次对旅游工作作出重要批示，李克强总理提出“迎接大众旅游时代的到来”。去年仅党中央、国务院出台的文件就有62个涉及旅游。二是各级党委政府空前支持，讨论中大家都谈到，近年来党委政府对旅游工作高度重视，主要领导亲自调度、亲自安排，各地都出台了一些重大政策。山东修订颁布了《山东省旅游条例》，省政府先后出台了三个重要文件。三是社会空前关注，旅游成为群众生活方式，成为全社会热议的话题。全国旅游工作风生水起，成绩斐然，影响巨大。这些重要变化是国家旅游局大力宣传、积极争取、扎实工作的结果，体现了国家旅游局党组很强的政治意识、大局意识、核心意识、看齐意识。

大家表示，回去以后要把这次会议精神，特别是李金早局长的重要讲话向党委、政府汇报好，学习好，领会好，贯彻好，一定要围绕报告提出的十六项重点工作，抓好今年工作：一是进一步做好争取领导，宣传社会的工作。同志们说，近期要把习近平总书记、李克强总理近年来关于旅游工作的重要讲话、批示向党委政府主要领导汇报好，把这些讲话精神和批示要求贯彻到经济社会发展的各个方面。同时，做好社会宣传工作，使旅游更加深入社会、深入人心。二是全面实施“十三五”旅游发展规划。大家一致表示，要搞好国务院十三五旅游专项规划与当地十三五旅游发展规划的衔接，将各项任务进行细化、量化，分解落实到相关责任部门和市、县政府。我省将重点做好国家、省两级规划衔接工作，制定具体的实施规划。三是全面深化改革，大家表示要继续推进“1+3+N”旅游市场监管改革，把政府监管、行业自律、社会参与结合起来，建立现代旅游产业治理体系。我省将结合发展全域旅游和打造十大文化旅游目的地品牌，整合相关部门的职能，积极推进资源整合、市场营销、政策扶持、环境保障、联合执法、综合考核“六大机制”建设。四是推进旅游环境和基础设施建设。大家认为，国家旅游局提出“以游客为中心”的发展理念，为旅游部门转变职能提供了方向，要大力推进旅游厕所、旅游集散、旅游咨询等公共服务体系设施建设，让游客游得更放心、更舒适、更安心。我省将按照安全卫生、整洁有序、管理规范、服务标准、文明礼貌、赏心悦目“24字”全域旅游标准，推进全域旅游发展。五是加强旅游大数据建设。大家认为，国家旅游数据中心构建了六大核心数据库，为各地旅游大数据建设提供了模板，将加快省级旅游大数据建设，并与国家旅游局搞好对接，实现数据共享。今年，山东将进一步整合旅游信息中心、旅游数据中心、旅游市场开发中心三个事业单位的职能，以旅游大数据建设为核心，建立山东省旅游营销中心。同时，继续抓好新业态发展，抓好旅游扶贫、文明旅游等重点工作。

同时，大家还提出了一些建议。一是文化传承和创新，打造文化软实力，已成为国家战略，建议把孔子文化、孙子文化、道家养生、中医药文化等纳入对外营销的重要内容；二是针对供给侧结构性改革，做好顶层设计，采取更多措施，打造品牌，培育壮大市场主体。三是集中力量抓好旅游装备制造业发展，尤其是邮轮制造等高端制造业发展。

最后大家表示，要全面贯彻党的十八大、十八届三中、四中、五中、六中全会精神，认真学习习近平总书记系列讲话，强化“四个意识”，切实发挥好旅游部门党组（党委）全面从严治党的主体责任，把加强党的建设与促进旅游发展结合起来，勇于担当、干净干事，为全国旅游业发展做出新贡献。

第 五 组

湖南省旅游发展委员会主任　陈献春

这次全国旅游工作会议在长沙召开，在我国旅游发展史上具有里程碑意义。湖南省旅发委能承办这次会议，我们倍感荣幸和自豪。今天上午我们第五组对金早局长的工作报告进行了认真讨论，杜江副局长全程参与。我们这个组主要来自广东、海南、湖南、重庆等省市和国家旅游局有关司室以及部分驻外办事处等单位。受第五组全体同志的委托，我把分组讨论情况和建议做个简要汇报。

一、三点认识和体会

金早局长作的工作报告，主题突出，内涵丰富，鼓舞人心，催人奋进。通过热烈讨论，我们有三点认识和体会：

一是全面总结了过去两年实施“515 战略”所得的可喜成绩，从战略提出到规划落地，从谋篇布局到细化落实，在推进全域旅游、综合体制改革、旅游扶贫、厕所革命、旅游外交等重点工作方面取得了“十二大突破”，特别是在顶层设计和制度供给方面出台 81 个涉旅文件，成果丰硕，令人鼓舞，坚定了我们抓好旅游工作的信心和决心。

二是坚持以问题为导向，梳理当前实际工作中感到疑惑的九大问题，进行深刻阐述和剖析，释疑解惑，澄清了思想认识的误区，进一步增强了我们抓好旅游工作的思想自觉和行动自觉。

三是立足当前，着眼长远，科学研判形势，站在新的历史起点上，谋划“三步走”的大战略、大思路，描绘出世界旅游强国建设的新蓝图，动员走好新的长征路。金早局长的报告从旅游业对接“两个一百年奋斗目标”的历史跨度，对当前我国旅游业发展阶段进行重新审视和重新定位，作出我国旅游业仍处于主要依赖资源开发的粗放型旅游大国发展阶段的重要判断，提出从现在到迈入世界旅游强国行列需要实施“三步走战略”的新思路，明确了每一步战略的判断依据、具体目标和基本路径。金早局长在 2015 年 1 月 15 日南昌会议提出“515 战略”，对 2015—2017 年三年全国旅游工作重点进行部署，2015 年顺利开局；2016 年全面攻坚；2017 年将打好“515 战略”的收尾之战，扎实走好 " 三步走 " 的第一步，落实好“十三五”旅游业发展规划，大力推进全域旅游，实施 15 项重要行动。

大家一致认为，以金早局长为班长的国家旅游局党组班子以上率下，敢于担当，主动作为，撸起袖子加油干的敬业精神，令人敬佩和感动，将激发和鼓舞全国广大旅游人积极投身于建设旅游强国伟大实践的热情和干劲，团结动员全国旅游系统在实施“三步走”战略中提振精气神、锤炼好作风、展现新作为。

二、四点建议

为贯彻落实好全国旅游工作会议精神，着眼我国旅游业发展的新阶段、新定位和新的目标任务，我们要找准发展短板，破除思维定式，寻求战略突破，把“三步走战略”落到实处。为此，大家讨论提出以下四点建议：

一是把建设世界旅游强国战略目标落实到创强系列举措当中。金早局长工作报告提出：“建设世界旅游强国必先强民，建设世界旅游强国必先强企，建设世界旅游强国必先强基”。“515战略”“十三五”规划和全域旅游发展是有机结合，建议把这“三必强”的要求落实到推进旅游强省、旅游强市、旅游强县建设的系列举措当中。

二是坚持旅游市场营销先行，以旅游市场营销统领旅游部门各项业务工作。恳请国家旅游局牵头编制全国旅游市场营销五年规划和行动计划，每年定期发布旅游市场营销年度计划或报告，引领各地实施旅游精准营销，贴近旅游市场需求统筹推进旅游客源地和旅游目的地建设，实现旅游市场细分化、旅游产品特色化、旅游营销专业化和旅游服务规范化。

三是贴近民生需求、服务实体经济，充分彰显“旅游+”的综合效应。充分挖掘和释放民生需求的旅游消费潜力，结合棚户区改造打造古城古镇和古街区。推动旅游业与科技、教育、文化、卫生、体育等民生事业深度融合发展，培育发展科普旅游、研学旅行、文化旅游、健康医疗旅游、体育旅游等新业态新产品，发挥旅游扶贫、旅游就业、旅游外交等社会功能；积极服务实体经济，以全域旅游带动基础设施建设，弥补旅游商品开发和旅游房车、游艇邮轮、旅游直升机等旅游装备制造业“短板”，增加旅游新投资和旅游产品新供给。

四是实施全域文明创建，提升现代旅游治理能力。深化旅游综合体制改革，构建旅游综合产业综合抓的体制机制，推进多规合一。坚持依法治旅，落实县级以上人民政府的属地管理责任、涉旅部门的监督责任、涉旅企业的主体责任，提高旅游目的地社会治理能力。

此外，大家在讨论中，还对加强旅游人才培训、旅游统计、邮轮旅游发展等问题提出了具体意见，在这里不一一列举。

各位领导，各位同仁，此次会议在我省胜利召开，衷心感谢国家旅游局领导和各位同仁对我省旅游业发展的关心和支持，感谢与会人员的支持和配合，感谢会务工作人员尤其是国家旅游局工作人员付出的辛勤劳动！由于接待条件和服务水平有限，还有很多接待不周到的地方，恭请大家多包涵。借此机会，我真诚地邀请大家到我省走一走、看一看，实地体验“锦绣潇湘 伟人故里——湖南如此多娇”的无穷魅力，为我省旅游发展传经送宝。

第 六 组

云南省旅游发展委员会主任　余繁

根据会议安排，我组全体代表围绕会上传达的国务院领导重要批示和讲话精神，李金早局长的工作报告以及会议的相关材料展开了热烈讨论，各位代表发言踊跃、气氛热烈。既交流了对本次会议和金早局长的主题报告的认识和体会，又对贯彻落实会议精神提出了很多很好的建议和意见，达到了预期效果。下面我作简要汇报：

一、对这次会议的认识和感受

在讨论发言中，大家一致认为：这次长沙会议的召开，是一次具有划时代、里程碑意义的重要会议。具体表现在：这次会议提出“三步走”发展战略，第一次全面系统地阐述了中国实现“世界旅游强国”的目标、路线图和时间表，确立了中国旅游业在新的历史时期发展的战略框架、战略目标和战略任务。至此，从南昌会议以“515 战略”为指引开创新天地，到海口会议以“全域旅游”为抓手打开新局面，直到长沙会议以实施“三步走”战略提出新目标，这三段“主旋律”共同谱写了国家旅游局和金早局长抓旅游业发展“三部曲”，为我们完整呈现了具有划时代意义的精彩篇章，标志着中国旅游业发展迈入一个新的时代。大家认为，这次会议是一次鼓舞士气、增强信心，奋进的大会。这次会议，传达党中央、国务院领导重要批示和讲话精神，体现了国家领导人对旅游工作的高度重视和充分肯定，令人信心满满、干劲倍增；会议总结回顾过去两年的工作，成绩斐然、振奋人心；表彰先进典型，让人深受鼓舞、引以为荣。这是一次统一思想、凝聚共识，团结的大会。会议坚持问题导向，正视问题不回避，对旅游业发展遇到的问题进行深入分析，对当前面临的形势作出准确研判，为我们进一步厘清了旅游业发展中的一些认识上的误区，更加统一了思想，凝聚了共识，找准了方向。这是一次绘就蓝图、奏响号角，动员的大会。会议对“十三五”规划的实施进行部署，标志着中国旅游业未来发展的总体布局基本完成，“三步走”战略的提出更为我们实现旅游强国梦绘就了美好蓝图，同时也吹响了奋力迈向我国旅游发展新目标的冲锋号，大家为未来的蓝图所激励、所鼓舞、所吸引，全行业也必将为之振奋。

二、对 2017 年全国旅游工作报告的理解和体会

大家一致认为，金早局长的报告，深入贯彻中央精神，站得高、看得远、立意新、落地实，全面、客观、理性，一切以数字和事实说话，求真务实，理念新、思路新、举措新，既符合旅游产业发展的规律性要求，又符合中国旅游业发展的实际，是一个很好的报告，具有很强的指导性和可操作性。报告有几个显著特点。一是既内容全面，又重点突出。报告全面总结“515 战略”实施两年来取得的“12 大突破”，全面分析和研判面临的国际国内形势，对发展中遇到的若干问题逐一作出解析和回应，对实施“三步走”战略，实现我国旅游发展新目标做了重点阐述，全面部署了今年的具体工作，有安排、有措施、有要求，内容全面、重点突出、环环相扣。二是既立意高远，又客观理性。报告站位于国家发展战略全局的高度，通篇贯彻了国家“五位一体”总体布局，“四个全面”战略布局和五大发展理念的要求，把实现世界旅游强国远大目标与实现两个“一百年目标”紧密联系起来，创造性地提出“三步走”战略和旅游强国建设的目标，彰显了旅游业必将为实现两个百年宏伟目标中发挥更加突出的作用，更体现了旅游业在国民经济发展中的历史责任和担当。同时报告敏锐把握全球旅游业未来发展大势，遵循发展规律，尊重发展实践，冷静

看待现实，正视问题差距，以科学严谨的态度，客观理性地提出了实施“三步走”战略，实现强国建设目标的方法、路径、步骤和各阶段的工作要求、工作任务，既给了全行业发展的信心，又给了大家推动发展的定力。三是既有理论高度，更有实践深度。与过去两年的报告一样，今年的报告在对过去的工作进行总结的同时，特别重视对旅游实践经验的总结和理论探讨。今年的报告中，在去年讨论五个认识问题的基础上，今年又提出了 9 个问题进行探讨，使实践中的问题得到了理论升华，进一步统一了认识，使大家更加自觉地以此为指导来推动产业发展实践。也正是如此，中国旅游发展理论得以不断完善、发展和深化。今年报告中对国际国内形势的精准研判、若干问题的深刻认识以及“三步走”战略的谋篇布局，更是基于对过去的几年，特别是近两年工作实践的认真总结和吸纳，是一份既有理论创新和理论高度，又有实践深度的好报告。四是既有明确任务，又有务实举措。这次报告明确提出，2017 年全国旅游的中心任务就是要加快由粗放型旅游大国向比较集约型旅游大国转变，明确了今年工作的具体发展目标，并决定采取 15 个方面 42 项具体举措来推动工作。要求明确，措施实在，便于操作和考核，按照这些既定的任务、目标和举措切实抓好落实，就一定能够抓出成效。

大家普遍感到，国家旅游局认真贯彻党中央、国务院的战略部署坚决到位，工作开拓创新，敢担当、会担当，想办事，会办事，办得成事，为全行业做了表率，开创了旅游业发展的新局面。大家纷纷表示，要在国家旅游局的坚强有力的指导下，认真传达学习贯彻好这次会议的精神，切实推动各项工作任务的落实。大家认为，贯彻好这次会议精神，一是要深刻领会抓落实，二是要搞好衔接抓落实，三是要结合实际抓落实，四是要改革创新抓落实。

三、讨论中提出的意见和建议

讨论中与会同志还就进一步推动旅游业发展提出了很多很好的意见和建议，主要有：

1. 在推进旅游产业供给侧改革中，恳请从国家层面进一步建立和完善推进的体制和机制，充分发挥各级党委、政府的领导作用，进一步整合社会各方面资源，形成合力，全面推进。

2. 要加强对旅游开发建设的调控，在积极引导和鼓励社会资本投入旅游业的同时，应通过制订相应的产业政策和发展规划进行调控，避免无序开发，重复建设和同质过剩。

3. 要进一步理顺旅游市场的综合监管体制，从法理和法律上理顺旅游部门与其他相关部门的职责，使作用于旅游市场管理的各方面的作用都充分得到发挥。同时要进一步完善旅游市场主体准入和退出机制，特别是对旅行社的准入和“僵尸”旅行社的退出要有更高、更严、更明确的规定。

4. 要进一步加大对旅游市场的监管，打击不正当竞争和其他违法违规行为，规范旅游市场秩序，为诚实守信、依法经营的企业和从业人员创造公开、公平的竞争环境。

5. 要重视和加大对旅游从业人员的教育培训支持力度，鼓励企业提高人员素质，同时要重视各级旅游行政管理部门工作人员业务素质的提高，多组织开展理论学习和实作培训，增强工作能力。

四、云南省的请求

利用今天这个难得的发言机会，代表云南提一点请求。

2016 年 10 月份，国家旅游局采取“四个同步”的措施，在全国开展了“不合理低价游”专项整治行动，并联动云南省 19 个主要客源地省份与云南省一起同步整治，取得了明显的效果。为抓住这个机遇，根治“不合理低价游”这一“顽疾”，开年伊始，云南省政府办公厅就以 1 号文件下发了专项整治行动方案，重点采取 8 个方面 16 项措施，结合国家旅游局正在全国范围部署开展的“不合理低价”专项行动，计划用半年时间，以“ 查合同，打低价”“堵源头，查税收”“断链条，打贿赂”等史上最凌厉的铁腕手段，根治“不合理低价游”这一“顽疾”，以实现云南旅游市场秩序根本好转，重塑云南旅游良好形象。

目前，整治已进入第二阶段，重点查办处理经检查出的线索和案件，涉及国家旅游局交办的 64 个案件和云南省自查的 70 余个案件，大部分已得到及时有效的处理。由这些案件涉及的 22 个省区市 115 个案件和线索，希望国家旅游局协调各老大哥省区市也能及时办理，真正形成“上下”联动、目的地和客源地联动、组团社和地接社联动处理的格局，为云南省整治和规范旅游市场创造良好条件。

第 七 组

新疆维吾尔自治区旅游发展委员会

党组书记　李冀东

今天上午，第七组的全体同志，围绕党中央和国务院对当前中国旅游工作的要求，围绕李金早局长的工作报告展开了讨论，大家认为，2016 年全国的旅游工作在国家旅游局的指导下，在大家的共同努力下，取得了新的进步、新的突破。大家对成绩有目共睹，感同身受。旅游工作得到了中央的肯定、行业的肯定和社会的肯定，也增强了我们的行业自信、事业自信和产业自信。

金早局长在报告中提到了“十二大突破”、理清了“九个问题”，并着眼于“两个一百年”目标提出了“三步走”战略和当前要做好的十五项重点工作、四十二条具体行动，大家都赞同这个报告。大家认为这既是对去年工作的客观总结，也是对今年工作的科学部署；既是一个顶层设计，也是一个方法培训。

大家认为，2016 年的旅游工作和金早局长的报告中体现了三个坚持：

一是坚持围绕大局。在金早局长的主报告中，十八届六中全会全面从严治党的总要求，中央经济工作会议“稳中求进”的总基调、供给侧结构性改革的主线和新常态判断，得到了充分体现和全面贯彻。

二是坚持改革创新。在工作的理念、制度、方法、措施方面，无处不体现了改革创新的精神。

三是坚持问题导向。在大众旅游时代，成绩与问题都是显而易见的；优势与短板显而易见。赞扬不绝于耳，批评也时有所闻。在金早局长的报告里，直面矛盾、直面问题，不回避、不护短，这为下一步从补短板入手，实现新的跨越奠定了坚实基础。

大家认为，此次会议的召开，对于进一步做好2017年的旅游工作，迎接党的十九大的胜利召开，具有十分重要的意义。大家在学习领会、贯彻落实金早局长的报告时，提出了有些好的建议和意见，归纳起来主要是：第一，未来的发展特别是“十三五”发展规划已经十分明确，思路、措施、举措已经安排就绪，宏伟的目标更需要我们全行业脚踏实地、从容不迫、尊重规律、绵绵发力、久久为功。第二，迅速发展的旅游产业，对全行业的干部队伍建设提出了新的迫切需求。要求我们这支队伍从思想建设，作风建设、能力建设方面，能够担当起当下中央和社会赋予我们行业的重任。旅游是幸福产业，也是快乐产业，但是党的旅游事业和旅游工作，需要我们埋头苦干、扎实工作、科学务实。第三，在讨论中，大家还就旅游规划管理规范问题、规划问题、区域旅游合作问题、旅游扶贫和人才培训问题、创新和务实工作问题、旅游大数据的全国共享问题、加强旅游数据统计等基础性工作达成一致意见。

第四篇

2017 年全国旅游工作会议总结

行稳致远　善抓落实
全力推动旅游业各项工作迈上新台阶
——2017 年全国旅游工作会议总结

（2017 年 1 月 13 日）

国家旅游局副局长　李世宏

开会三件宝，报告好、会风好、讨论领会好。经过全体与会同志的共同努力，2017 年全国旅游工作会议即将圆满完成各项议程。会议结束前，受李金早局长委托，我对会议作个总结。

一、会议形成的共识

两天来，与会代表认真学习领会习近平总书记系列重要讲话精神，按照中央经济工作会议要求，结合李金早局长所作的工作报告，联系实际，开动脑筋，畅所欲言，深入研讨，广泛交流。大家普遍认为，此次会议总结经验、寻找差距、分析形势、统一思想、部署工作，取得了预期效果和成果。大家一致认为，推进“515 战略”两年以来，在党中央、国务院的高度重视下，在各地各部门的大力支持下，全行业雷厉风行，旅游业风生水起、活力迸发、成绩明显。这些评价与共识主要包括以下五个方面：

第一，用清晰的战略引领发展。战略是最具抱负的思考、最富理想的谋划，战略的本质就是追求。全行业坚持以党和国家的整体战略统领工作，引领发展，坚持紧密结合实际形成行业发展战略，并以此来落实党和国家的整体战略。全行业认真贯彻以习近平同志为核心的党中央提出的一系列治国理政新理论新思想新战略，坚持五大发展理念，主动适应经济发展新常态，紧紧围绕供给侧结构性改革这条主线，先后提出了一揽子有远见、有分量的行动方略。李金早局长在工作报告中郑重提出的“三步走”战略，是落实党中央要求，实践旅游为民、产业报国的庄严承诺，彰显出全行业“功成不必在我，久久为功”的沉着与坚定，反映着旅游人的执着追求。战略的目的在于超越别人，在于通过渐进的方式形成强大的竞争优势。“515 战略”确定的三年行动计划，补短板，强服务，提质量，活机制，为旅游业发展逐步积蓄力量，增强动力，形成后劲。战略的重点在于提升自己，在于对“时、空、力”进行有效整合，并实现能力再造。全域旅游战略的提出，为旅游业整合资源要素、提升发展动力、转变发展方式、重造产业流程指明了路径，为推进旅游供给侧结构性改革注入了活力。战略的智慧在于取舍，在于决策者的魄力、定力和创造力。

前不久国务院印发的《“十三五”旅游业发展规划》，统筹空间布局、产业部署、时序安排、责任分工，是“十三五”期间我国旅游业发展的纲领性文件，是引领推进“十三五”期间旅游各项工作的国家战略，已成为国家对旅游业进行战略管理的成功示范。总之，“515 战略”强力发动，开启了旅游业发展的“新天地”，“全域旅游战略”统筹整合，开创了旅游业发展的“新局面”，“三步走”战略谋篇布局，确定了旅游业发展的“新目标”，三大战略有机衔接、相辅相成，奏响了旅游业发展的“三步曲”。

第二，用科学的理论指导发展。大家反映，曾经的旅游业，经验的外套罩不住快速成长的产业身躯。旅游概念有的似是而非，旅游判断有的模棱两可，基础研究、应用研究跟不上形势的变化，制约了产业的进一步发展。因此，认真学习马克思主义政治经济学原理，认真学习习近平总书记系列重要讲话精神，认真学习现代经济学知识，并以此指导旅游业的发展，成为全行业的迫切需要。规律不清、认识不深是因为探索不够。全行业敢于纠正认识偏差。李金早局长在多个场合反复纠正“旅游只是软实力”“旅游富民不富财”“旅游贡献率低”“旅游服务贸易逆差”“全域旅游不要景点景区”等片面认识。全行业敢于突破习惯思维。李金早局长反复强调，旅游业不仅仅是消费热点，也可以在拉动投资和扩大出口中担当重任。旅游业在传统的“吃、住、行、游、购、娱”六要素基础上，正在形成“吃、厕、住、行、游、购、娱”和“文、商、养、学、闲、情、奇”旅游综合要素体系，带动作用更加显现。推进供给侧结构性改革，增加有效供给是当前旅游业发展的一项重要任务。全行业敢于破解思想障碍。针对旅游综合体制改革的一些不同认识，鲜明地提出成立旅游发展委员会绝不只是简单地换块牌子，也不是为了给产业谋个面子，而是适应发展、改革职能的需要。全行业敢于在实践中探索。总结提出了开展旅游外交的整套经验，及时指出了全域旅游推进过程中应当防止的“八个误区”，将“1+3”管理体制机制的创新实践上升到理论层次。大家一致反映，产业理论创新与研究的成果来之不易，是落实中央要求、深入学习的结果，是调研、思考的结果，是吃苦的结果。

第三，用过硬的举措促进发展。大家一致认为，两年来，接地气的旅游政策、旅游措施、旅游办法一拨接着一拨。党中央、国务院出台的一系列促进旅游业发展的政策是最大的措施。战略性支柱产业、大众旅游时代、幸福产业的定位，体现了新常态下国家对旅游业功能和作用的充分肯定，彰显了旅游业地位的显著提升。能带来真金白银的政策是最实的措施。在《国务院办公厅关于进一步促进旅游投资与消费的若干意见》等一系列利好政策的刺激下，旅游投资逆势增长，成为各类资本特别是民营资本争相进入的领域，规模还在持续扩大。大投资带来大发展，一批旅游综合体等大项目相继建成运营，大大提升了旅游有效供给能力。深化改革、鼓励创新的政策是综合效益最好的措施。在“旅游 +”战略强有力的推进下，跨界发展，融合发展，成为当下旅游业发展的新潮流。低空旅游、自驾车房车旅游、邮轮旅游、康养旅游、研学旅游等一大批旅游新业态竞相迸发，极大地增强了旅游业发展新动能。“长牙齿”的政策是最靠得住的监管措施。“黑名单制度”“红黑榜制度”、督查督办巡察制度、景区动态管理机制等等，都有效遏制了旅游市场乱象。抓示范是最直接的培训措施。国家级旅游业改革创新先行区、跨境旅游合作区、边境旅游试验区的建设，为旅游业改革发展发挥了引领示范作用。帮助企业拓展市场的政策是最受欢迎的措施。针对入境旅游市场面临的诸多困境，审时度势推出了整套宣传推广组合拳，高层推广、公众推广、内部推广、反季推广、互动推广持续发力，人文旅游产品、二三线城市和特色小城镇、创意旅游产品、精品旅游线路纷纷亮相，实现了入境旅游连续两年增长。

第四，用务实的作风保障发展。百姓的日子是发展的镜子，基层的口碑是机关的金杯和银杯。大家普遍感到，为游客着想、为行业服务、为基层助力，从大处着眼，从小处着手，是旅游系统按照中央要求加强作风建设的一个鲜明特点，充分展现出以人为本、与行业同行、与基层同心的职业情怀。好作风赢得民心。全行业想游客之所想，急游客之所急，按照习近平总书记“钉钉子精神”的要求，在全国掀起了一场声势浩大的厕所革命，也由此扩展到旅游公共服务建设的各个方面。好作风温暖基层。设立导游专座、推进导游自由执业改革试点工作、搭建银旅合作平台、举办中国旅游投融资促进大会、成立中国旅游产业发展基金等等，是旅游部门落实党中央要求、改进工作作风的具体行动。李金早局长严格贯彻中央八项规定精神，深入开展调查研究，了解基层工作实际困难，支持地方推进旅游体制机制改革。应该说，两年来 14 个省区市旅游发展委员会的成立，“1+3”旅游管理体制的建立，为基层开展旅游工作创造了条件。为民、敬业、务实、创新的工作作风有效地保障了发展，体现在点点滴滴，反映在方方面面，成为全行业继续前行的宝贵精神财富。

第五，以良好的环境助推发展。抓环境就是抓生产力。环境建设是一个系统工程，需要从政策环境、法制环境、舆论环境、基础设施硬环境等方面综合发力。大家一致反映，舆论环境曾经是旅游发展环境的一块短板。两年来，在党中央、国务院的关怀下，这一情况得到显著改善。旅游系统坚持“理念为先”，下决心创新新闻宣传工作思维方式。“会做不等于会说”“有意义不等于有意思”“既要队伍团结，又要工作总结”“说天边不如道身边”“讲道理不如讲故事”

这些“小段子”在行业内广为流传。旅游宣传部门坚持“内容为王”，精心设置议题、主题和话题；坚持从贯彻落实党中央、国务院大政方针，从推进旅游业改革发展，从服务游客、服务企业，从提升国际竞争力等多个角度发出声音、做好解读，创作了一批以科学理论、客观规律、新鲜经验、生动实践为支撑的新闻宣传作品。各级旅游部门坚持“渠道为重”，巩固中央电视台等重要渠道，打通人民网、新华网等新媒体渠道，善用微信、微博等社交渠道。坚持“平台为要”，国家旅游局还新构建了中国旅游新媒体宣传推广平台、中国旅游新闻网络平台、中国旅游视频资讯传播平台等三位一体的传播平台，进一步提升中国旅游报和官网等老平台的传播水平。

总之，参会代表一致认为，李金早局长所作的工作报告直面问题，充满自信，方向明确，催人奋进，总结实践，反映实情，蕴含着对党对事业的忠诚，充满着对群众对游客的感情，有着丰富的思想内涵和强烈的感染力。大家感慨地说，成绩代表付出，收获源于汗水；认识反映功底，深度决定高度；战略彰显魄力，选择就是智慧；措施体现实干，办法就是财富。大家由衷地表示，一定要在党中央、国务院的坚强领导下，坚持问题导向，强化底线思维，不骄不躁，继续奋力前行。

二、抓好会议精神的落实

为政贵在行，必须“撸起袖子加油干”。按照党中央、国务院的统一部署，李金早局长在工作报告中提出了2017年全国旅游业发展的15项行动、42项具体举措，全行业必须以抓铁有痕、踏石留印的顽强作风，用科学的方式和有效的办法狠抓工作落实。

一具体就落实。抓项目最具体。要善于把规划变成计划，把目标变成指标，把工作蓝图变成项目建设，通过层层转化，抓好落实。当前，要紧紧围绕《“十三五”旅游业发展规划》，按照国家发改委、国家旅游局《关于实施旅游休闲重大工程的通知》要求，齐心协力，重点抓好8个领域的项目建设：一是旅游公共服务保障工程。建设重点旅游目的地机场、火车站、汽车站、商业集中区等游客聚集区域的旅游咨询中心，区域性的旅游应急救援基地，游客集散中心，旅游交通引导标识系统等。二是重点景区建设工程。建设景区到交通干线的连接路，景区内的步行道、停车场、厕所、垃圾污水处理设施、解说教育系统等。三是旅游扶贫工程。建设乡村旅游扶贫重点村的道路、农副产品特产销售中心、供水供电设施等。四是红色旅游发展工程。建设全国红色旅游经典景区到交通干线的连接路、展陈场所、消防设施等。五是贫困户乡村旅游“三改一整”工程。即改厨、改厕、改房间、修整院落等。六是新兴旅游业态培育工程。建设自驾车房车旅游、邮轮游艇旅游、旅游小城镇、环城游憩带等休闲度假产品配套设施。七是旅游创业创新工程。重点支持全域旅游示范区、旅游产业园区、跨境旅游合作区、边境旅游试验区、智慧旅游景区的建设。八是绿色旅游引导工程。重点支持旅游景区、民宿客栈等节水节电、绿色低碳升级改造项目。

一精准就落实。没有标准，很难精准。要以标准化工作为手段，精心抓，精准抓，出精品，真正推动落实。今年，要重点推动全域旅游示范区标准化建设，指导、推进并及时验收首批全域旅游示范区。国家旅游局正在抓紧制定全域旅游示范区导则，主要包括以下五个方面的内容：一是在旅游综合管理体制改革方面，要突出全域统筹规划，全域资源整合，全要素综合调动，形成全社会共治共管、共建共享的机制。二是在旅游引领“多规合一”方面，要将全域旅游发展贯穿到城乡建设、土地利用、生态保护等各类规划中。三是在旅游公共服务方面，要补齐短板，提升水平，加强旅游基础设施建设。四是在促进产业融合发展方面，要创新旅游产品、增加有效供给，推进“旅游+”，形成综合新产能。五是在旅游目的地宣传推广方面，要坚持整体营销。各地要按照这五个方面的标准，实施综合体制改革，推进“多规合一”，提升公共服务水平，推进产业融合，强化整体营销。同时，还要深入开展精准扶贫，切实打好旅游扶贫攻坚战。

一融合就落实。旅游业与其他产业融为一体，合为一体的过程，就是旅游业扩面提质的落实过程。融合的重点是多产业叠加，关键是多要素驱动，核心是多环节增效。说到底就是要创新再创新。我们要始终坚持抓好“旅游 +”战略的实施，拓宽旅游发展空间。要围绕开发旅游新业态，重点从以下六个方面取得新突破、再上新台阶。一是在旅游 + 农业方面，抓好现代农业庄园的创建工作，推进农业旅游转型升级。二是在旅游 + 工业方面，分阶段分步骤实施 1000 个国家工业旅游示范点、100 个工业旅游基地、10 个工业旅游城市的创建工作。三是在旅游 + 航空方面，联合相关部门发布第二批通用航空旅游试点项目。四是在旅游 + 体育方面，要推出一批体育旅游示范基地和重点项目。五是旅游 + 交通方面，持续推进自驾车旅居车旅游，按时完成 1000 个房车营地的建设目标。六是在旅游 + 教育方面，要制定研学旅游接待服务标准，建设一批研学旅游基地，推出一批精品研学旅游线路。

一分担就落实。要善于借力发力，形成合力。一要善用市场之力。产业的发展最终还是要依靠企业的力量，要充分发挥市场在资源配置中的决定性作用。比如，要通过合理规划引导资金转向美丽乡村、特色旅游小镇、城市文化街区、度假酒店群、旅游综合体、新型景区、主题乐园、全域旅游产品的建设，实现差异发展、错位发展。要搭建平台，建立更加紧密的银旅合作机制，会同国家开发银行等金融机构做好已公布优选旅游项目的落地工作，推出第三批全国优选旅游项目名录。要抓好政策扶持，着力解决旅游用地难、融资难、融资贵的问题，打破封闭、区域分割的壁垒。二要善用机制之力，充分用好成立旅游委，设立旅游警察、旅游巡回法庭、工商旅游分局这些新的现代治理机制，净化旅游市场环境，推进旅游产业融合发展。三要善用科技之力，切实提升旅游业有效供给能力及服务管理水平。要深入开展厕所革命，抓好技术攻关项目。通过运用新能源、新材料推进旅游业绿色发展、循环发展。比如，全国工商联旅游业商会积极参与厕所革命特别是在以商养厕方面进行了有益探索和创新，李金早局长对此也给予了充分肯定。四要善用基层之力，调动基层的积极性和主动性，尊重和发挥基层的首创精神。要树基层典型，树一线模范，树发展榜样，树“双创”先锋。要强化相互竞争、相互促进的工作机制。

一较真就落实。不落实就落空，不落实就落后。当前，旅游业发展进入黄金期，改革进入深水区。抓落实要坚持原则，不留情面。要切实做到一级抓一级，一级督导一级，做到层层抓、反复抓，层层传导压力，强化各级的主体责任。

一是要在重点工作上敢于较真。《“十三五”旅游业发展规划》已经明确了任务分工，确定了责任单位。自今年起，我们会连续四年将规划的推进落实情况纳入国务院层面的重点督查工作项目，对推进迟缓、执行不到位的要按规定追责。二是要在难点问题上敢于较真。要用好“黑名单”“红黑榜”等形之有效的手段，继续探索市场治理整顿的新办法。要敢于出重拳，敢于揭短露丑，该批评的批评，该警告的警告，该退出的退出，形成持久的震慑力量。三是要在焦点问题上敢于较真。当前，零负团费、景区服务等仍是人民群众反映强烈的问题，文明旅游仍是全社会广为关注的问题。各地要在巩固已有成果的基础上，坚持标本兼治，一抓到底。

会议期间，大家在分组讨论中就开展全域旅游、深化体制机制改革、推进产业融合、强化旅游市场秩序治理、完善旅游公共服务等方面，提出了很多很好的意见建议，我们会认真研究，积极吸纳。

总之，抓落实就要“统到位”，确保一盘棋；就要“创到位”，确保出特色；就要“落到位”，确保求成效；就要“借到位”，确保出合力。要在转化中、细化中、创新中、检查中做到件件有推进，件件有着落。

三、抓好岁末年初工作，迈好今年第一步

一是汇报、传达好会议精神。临近春节，正是旅游市场秩序治理和旅游安全生产最紧张、最繁忙的时段，大家回去后，要抓紧时间把2017年全国旅游工作会议的精神和国家旅游局对今年重大旅游工作的部署，向党委、政府汇报好，积极争取党政主要领导和分管领导同志的关心与支持。要及时组织传达学习好会议精神，统一班子和部门的思想认识，研究提出贯彻措施，分解任务，明确责任，及早部署。特别是要采取多种方式将会议精神尽快传达到行业基层，倒逼增强动力，最终形成推动旅游业发展的强大合力。

二是营造良好氛围。党中央、国务院对旅游业高度重视，采取了一系列发展措施，各地要下大力气宣传好。这几天，会议的报道精彩纷呈，也突出了这一点。接下来，各地新闻宣传工作要再接再厉。要结合春节旅游热点，全面准确地宣传会议明确的重点工作，大力宣传旅游业发展的新成果新经验，深入宣传会议表彰的十大新闻人物、旅行社和饭店优秀企业，凝聚精气神，传递正能量，挖掘“旅游人”的活力和魅力，全力营造有利于旅游业发展的良好氛围。

三是抓好春节黄金周假日工作和党风廉政建设。再过几天就要迎来春节黄金周，各地要全力做好假日旅游工作。

各地要严格按照国务院安全生产委员会的工作部署，依据“全覆盖、零容忍、严执法、重实效”的总体要求，把旅游安全工作摆在首要位置，深入开展旅游行业安全生产大检查，确保检查到位、整改到位，有效防范重特大涉旅安全事故。对于热点景区，要做好分流限流准备，严防游客聚集场所出现拥挤踩踏事故。做好雾霾、冰冻雨雪等极端天气以及各类涉旅突发事件应急预案。各地要把旅游供给摆在突出位置，指导旅游企业加大旅游产品有效供给，充分满足大众旅游和假日旅游消费的需求。各地要把维护旅游市场秩序摆在重要位置，加强节日市场监督检查，发挥旅游警察、旅游巡回法庭快速处理旅游纠纷的特殊作用。及时发布旅游信息，引导游客合理安排出行和错峰旅游，真正让人民群众游得安心、舒心、放心。同时，各级旅游部门都要认真领会十八届中央纪委七次全会精神，严格贯彻中央八项规定精神，加强春节期间的廉政风险防控，始终把纪律挺在前面，严守底线，不越红线。

湖南省旅游资源禀赋高，区位优势明显，在全国旅游业发展格局中占有重要地位。湖南省委省政府高度重视旅游业发展，全省旅游工作者开拓创新，主动作为，在推进产业发展、创新体制机制、开展旅游扶贫、扩大有效供给等方面取得了显著成绩，为湖南省经济社会发展做出了积极贡献，为全国旅游业发展探索了很多有益的经验。为了开好这次会，湖南省旅游委和方方面面做了大量的工作。在此，让我们以热烈的掌声对他们的辛苦付出表示衷心感谢，也预祝湖南旅游业百尺竿头，更进一步！

同志们，天时人事日相催，冬至阳生春又来。盘点2016，展望2017，站在旅游业“三步走”战略新长征的起点上，面对前所未有的新时代，我们要因势而谋、应势而动，以报国为民的使命感，只争朝夕的紧迫感，由跟跑转向领跑，从自信走向自豪，稳中求进，埋头苦干，善抓落实，与以习近平同志为核心的党中央保持高度一致，坚决贯彻落实党中央、国务院的部署安排，全面推进旅游业各项工作迈上新台阶，以优异成绩迎接党的十九大胜利召开！

附　录

2016年国家旅游局重要创新举措

（以时间为序）

1. 首次开展文明旅游“三个一”工程。从1月10日起，国家旅游局分步组织实施“三个一”工程，明确把“为中国加分”塑造成文明旅游第一品牌、第一名片；在游客中树立“中国好游客”，在社会知名人士中聘请一批人作为“文明旅游公益大使”；在大学生中举办“文明旅游背包行”公益宣传活动，国内游与出境游两个旅游文明形象大有改观。

2. 首次举办印度“中国旅游年”。1月14日，国家主席习近平向在印度新德里举办的“中国旅游年”开幕式发贺词。国家旅游局局长李金早在开幕式上宣读习近平主席贺词，并和印度旅游文化部长马赫希·夏尔马、中国驻印度大使乐玉成分别致辞。一年来，先后组织参加印度出境旅游展、举行“印度大学生中国服装大赛”、组织印度旅行商赴云南考察旅游线路及产品等近百项旅游宣传和交流活动，让“美丽中国”深入印度游客心中，提升了印度游客来华旅游的兴趣。2016年中印双向旅游交流人数突破100万人次。

3. 首次开展“民间版文明旅游公约”。1月18日，组织开展的“民间版文明旅游公约”活动，得到全社会热烈响应，200多家媒体网站宣传报道，官方页面浏览量十万余次，征集作品千余条，推出了源自民间、扎根民间的大众文明旅游共识。

4. 首次举办“2016 韩国旅游年”。1 月 20 日，韩国文化体育观光部在北京举行“2016 韩国旅游年”开幕式。国家旅游局局长李金早、韩国文化体育观光部长金钟德等 1300 余名两国政府及旅游界相关人士出席。12 月 15 日，“2016 韩国旅游年”活动闭幕式在北京举行，国家旅游局局长李金早和韩国文化体育部长赵允旋出席相关活动。

5. 首次确定 500 家全域旅游示范区创建单位。2 月 1 日和 10 月 21 日，先后公布 262 家和 238 家国家全域旅游示范区创建名单，并在浙江桐庐、宁夏中卫分别召开全国全域旅游创建工作现场会和全国全域旅游推进会。

6. 首次建立旅游市场综合监管机制。2 月 4 日，国务院办公厅印发《关于加强旅游市场综合监管的通知》，明确各相关部门的监管责任，推动建立权责明确、执法有力、行为规范、保障有效的旅游市场综合监管机制。

7. 首次会同最高人民法院印发《关于进一步发挥审判职能作用促进旅游业健康发展的意见》。为维护旅游者和旅游经营者合法权益，更好地规范旅游市场秩序，2 月 23 日，两部门明确，人民法院要有针对性地加强旅游景区等游客相对集中区域派出法庭建设和巡回审判工作，与旅游主管部门建立解决旅游纠纷的沟通交流机制。

8. 首次举办中美旅游年。2 月 29 日晚，2016“中美旅游年”在京隆重开幕。国家主席习近平发来贺词，美国总统奥巴马发来祝贺视频。当地时间 11 月 20 日，2016“中美旅游年”闭幕式在华盛顿举行。国家主席习近平发来书面贺信。国务院副总理汪洋在闭幕式上宣读贺信并致辞。一年来，先后举办千名美国游客游长城、千名美国游客游江南水乡、中美旅游高层对话、5000名中国游客趣游美国等重大活动，并联动相关单位，全年举办100多项配套活动。预计2016年中美旅游双向交流人数将首次突破500万人次。

9. 首次编辑发行《中国旅游大数据》内刊。3月4日，由中国旅游研究院（中国旅游数据中心）主办、编辑的《中国旅游大数据》创刊发行。近一年来，发布《2015年旅游业统计公报》，编辑出版《中国旅游统计年鉴2016》（正副本）《旅游抽样调查资料2016》等，形成权威数据发布平台，理论研究与成果体系有效互动。

10. 首次牵头编制国家层面的邮轮旅游规划。3月6日，启动编制《全国邮轮旅游发展总体规划》。提出加快邮轮旅游基础设施和公共服务设施建设，提高通关便利化，预计到2020年邮轮旅游出入境人次达800万。

11. 首次举办“美丽中国—2016内地旅游（港澳）嘉年华”。4月6日至10日，在港澳分别举办“美丽中国—2016内地旅游（港澳）嘉年华”推介活动，将嘉年华升级为融推广、交流及合作等多种功能为一体的综合平台，实现了综合功能和综合效益双跃升。

12. 首次联合交通运输部印发《关于进一步规范导游专座等有关事宜的通知》。4月12日，两部门从车辆生产标准、运营管理等环节入手，认真解决“导游专座”的设置问题，切实从源头上“堵住”折叠座椅、从制度上保障“导游专座”。同时，加强对各地旅游客运车辆“导游专座”设置进行专项监督检查，保障导游安全执业、游客安全旅游。

13. 首次与国家发展改革委等7个部委联合印发《关于农村产业

融合发展试点示范方案》。为贯彻落实中央一号文件和《国务院办公厅关于推进农村一二三产业融合发展的指导意见》，4月15日，7部委决定实施农村产业融合发展“百县千乡万村”试点示范工程。提出对已列为休闲农业与乡村旅游示范县、乡村旅游模范村等试点示范范围的地区，可适当优先考虑确定试点示范名单。

14. 首次构建全媒体新闻宣传平台。4月21日起，与新华网、人民网、旅游卫视开展全方位战略合作，构建涵盖网络、视频、新媒体和舆情监测的全媒体多领域新闻宣传推广平台，全力推进同中央电视台、凤凰卫视、旅游卫视建立“3+X”全国旅游新闻联动机制，有效提升旅游政策宣传和信息传播的及时性、广泛性、精准性和有效性。

15. 首次在全域旅游发展、旅游综合管理体制改革、旅游用地改革等方面取得新突破。5月10日，召开旅游业改革创新先行区工作会议，明确各项改革任务。11月29日，召开现场会，总结经验，推广做法模式，并公布了首批国家级旅游业改革创新先行区名单，较好地推动各地在全域旅游发展、旅游综合管理体制改革、旅游用地改革、旅游景区体制机制改革、旅游扶贫等方面取得新突破。

16. 首次推出中国旅游援外计划。5月19日，李克强总理在首届世界旅游发展大会上宣布，中国将在未来5年实施50个国际旅游合作项目，包括开展旅游资源开发与保护，派遣专家提供旅游业规划咨询，培训一批中文导游和管理人员，提供1500个来华人员培训名额。

17. 首次举办世界旅游发展大会。5月19日，由中国政府与联合国世界旅游组织联合主办、国家旅游局和北京市人民政府共同承办的首届世界旅游发展大会在人民大会堂金色大厅隆重开幕。国务院总理李克强出席开幕式并讲话，联合国副秘书长吴红波宣读联合国秘书长潘基文贺信，联合国世界旅游组织秘书长塔勒布·瑞法依致辞。大会开幕式由国家旅游局局长李金早主持。来自107个国家和15个国际组织代表及中国政府有关部委、有关省份的代表出席会议，围绕“旅游促进发展”“旅游促进和平”和“旅游促进扶贫”三个议题，开展主旨演讲、高峰论坛等活动。大会发布《北京宣言——推动可持续旅游，促进发展与和平》。世界旅游发展大会在中国举办，实现了我国旅游外交由参与者到主导者、由跟随者到主创者、由专项交流到综合交流的历史性突破，在我国旅游发展史上具有里程碑意义。

18. 首次举办G20旅游部长会议。5月20日，由国家旅游局与联合国世界旅游组织共同主办的第七届二十国集团（G20）旅游部长会议在人民大会堂举办。国务院副总理汪洋出席开幕式并致辞。联合国世界旅游组织秘书长塔勒布·瑞法依、联合国副秘书长吴红波致辞，本届旅游部长会议主席、国家旅游局局长李金早主持会议。会议审议通过《第七届二十国集团旅游部长会议公报》。

19. 首次推进旅游厕所“以商管厕、以商养厕”新机制。5月底，在义乌召开中国厕所革命研讨会，推出一批“政府建设+政府管理”模式，鼓励各地大力推进“以商管厕、以商养厕”等厕所管理认养新机制，探索多种厕所管理新模式。

20. 首次开放港澳独资旅行社试点经营内地居民出境游业务。6月1日起，全面实施CEPA涉旅政策措施，先后批准广州南华旅行社有限公司、广州佳天美旅行社有限公司等2家香港独资企业经营出境游业务，在旅游领域基本实现对港澳服务贸易自由化。

21. 首次制定《导游等级划分与评定》国家标准。6月23日，制定完成的《导游等级划分与评定》，规范了导游技能等级的划分与评定考核标准，对导游的基本素质、知识要求、能力要求和业绩要求等方面作出明确规定。

22. 首次编撰《当代旅游学》。6 月 27 日，中国旅游研究院组织编撰的《当代旅游学》，致力于反映现阶段旅游业的发展规律、特征、功能和发展战略的认识，为全国旅游行业培训和旅游院校、学科提供教科书。

23. 首次对旅游报增刊改版。为更好地发挥行业报的宣传作用，提高新闻时效性，自 7 月 1 日起，中国旅游报由每周三刊增加为五刊，并对现有版面进行优化，明显提升了时效性和报纸影响力。

24. 首次会同中医药管理局印发《关于促进中医药健康旅游发展的指导意见》。7 月 7 日，两部门联合开展中医药健康旅游示范区（基地、项目）创建工作，这是贯彻落实《中医药发展战略规划纲要（2016—2030 年）》的重要举措，更是“旅游 + 中医药”融合发展的首次创新。

25. 首次启动边境旅游试验区和跨境旅游合作区创建工作。7 月 8 日，会同 8 部委共同明确推动跨境旅游合作区的建设方向和实操指南，提出边境旅游试验区建设的总体要求和实施步骤，指导推动沿边 7 省区 30 多个县市加快边境旅游试验区建设。

26. 首次举办“美丽中华—大美青海丝路行”暨青台旅游交流合作活动。7 月 14 日至 18 日，组织两岸旅游业及媒体代表约 170 人赴青海开展旅游交流合作活动。两地旅游协会签署了旅游合作协议，青海方面宣布了对台旅游奖励政策，集中展示了青海旅游新产品，提升了青台两地旅游合作水平。

27. 首次举办中俄蒙三国旅游部长会议。7 月 22 日，中俄蒙三国旅游部长会议在内蒙古自治区呼和浩特市举行，会议签署了《中俄蒙三国旅游合作谅解备忘录》，并一致通过《首届中俄蒙三国旅游部长会议联合宣言》，标志着三国旅游合作迈入新的历史阶段。

28. 首次建成并运行国家旅游产业运行监测与应急指挥平台。该平台是提升旅游业现代化水平、贯彻落实全域旅游发展理念的重要举措。自8月1日起上线试运行以来，该平台陆续对接了国家旅游局假日旅游统计系统、旅游厕所管理系统、导游管理系统、旅行社管理系统、饭店统计管理系统等15个系统和旅游网上舆情、游客投诉等数据，实现了与四川、天津等17个省（区市）、144个景区、558个景区视频监控对接。

29. 首次举办“美丽中国—草原丝路宣传推广暨蒙港澳旅游交流合作活动”。8月9日至13日，组织港澳旅游业界、媒体赴内蒙古交流和旅游推介，发布了港澳游客入境内蒙古旅游奖励政策和提振计划，签署了旅游合作备忘录和合作协议，较好巩固港澳同胞入境内蒙古旅游市场，推动了跨区域旅游产业互动。

30. 首次会同国家发展改革委等12个部委印发《乡村旅游扶贫工程行动方案》。8月11日，12部委明确，未来五年，将通过发展乡村旅游带动全国25个省（区、市）2.26万个建档立卡贫困村、230万贫困户、747万贫困人口实现脱贫。

31. 首次推动导游体制综合改革工作。8月28日起，研究制定《关于深化导游体制改革加强导游队伍建设的意见》，从改革考试培训注册制度、改革导游执业制度、健全执业保障体系、建立综合监管体制、建立健全导游协会组织、创新导游激励机制等六个方面，全面部署导游体制改革工作。积极推动导游自由执业改革试点，制定导游自由执业相配套的管理办法、服务合同等系列文件10多部，建设导游公共服务监管平台，初步构建导游自由执业改革比较完整的政策体系。在总体改革要求下，推动导游体制改革文明旅游、“互联网＋导游领队”、导游薪酬激励等“十项重点工程”。

32. 首次举办旅游业改革发展青年研修班（全域旅游专题）。9月1日至13日，通过专家授课、小组研讨、实地调研等多种形式，对从省、市两级旅游管理部门和旅游高校中选拔产生的旅游业青年干部人才进行培训。

33. 首次开展“熊猫走世界·美丽中国”全球营销活动。为建立“熊猫”品牌旅游形象，让全球游客看熊猫、游中国，向世界推广中国各地的旅游特色，9月2日，“熊猫走世界·美丽中国”全球旅游营销活动在德国柏林正式启动，国家旅游局局长李金早和联邦独立旅游公司联盟协会主席约翰·斯崔西先生共同为大熊猫点睛。

34. 首次推进国家旅游示范工作。9月7日启动国家旅游示范工作，在全国抽调20个认定组，由省区市旅游部门领导带队，有关专家参与，严格按照标准和评分操作手册集中对绿色、蓝色、人文、康养示范备选基地和休闲示范备选城市进行交叉评定，打造中国特色旅游目的地体系。

35. 首次启用电子导游证。9月15日，将电子导游证作为导游执业证。通过扫描电子导游证上的二维码，可以获知导游的身份证信息、执业信息、社会评价、奖惩信息等。

36. 首次编制完成《四省藏区旅游业协同发展规划》。9月20日，完成《四省藏区旅游业协同发展规划》编制工作，这是国家旅游局支持少数民族地区发展的又一重大举措，该项工作得到全国政协主席俞正声的高度肯定。

37. 首次推动中泰、中韩开展旅游市场监管合作。推进中泰、中韩旅游市场监管合作，9 月 21 日和 12 月 15 日，与泰方、韩方分别签署《关于加强旅游市场监管合作的谅解备忘录》，这是我们首次与主要目的地国签署类似协议，实现了旅游市场监管国内、国外同步进行。

38. 首次开展“百城万众厕所文明宣传大行动”。9 月 29 日至 12 月 31 日，组织全国 100 个“厕所革命先进市”，同步开展“百城万众厕所文明宣传大行动”活动，切实提升广大游客的文明素质。

39. 首次实现 12301 全国旅游投诉平台完全整合。10 月 1 日起，将电话、网络、信函、微信等 8 种投诉方式整合到 12301 全国旅游投诉平台，将“游客对旅游服务质量的投诉”全部列入平台的受理范围，并规范案件处理流程，实现了旅游投诉举报工作无盲区、无死角、全覆盖。

40. 首次建立假日旅游“红黑榜”。为加强旅游市场监管，进一步提升旅游服务管理水平，10 月 9 日，国家旅游局发布十一假日“红黑榜”，集中表扬一批最佳景区、优秀旅行社、优秀导游和文明游客，同时也对环境脏乱、管理混乱、服务恶劣的旅游经营单位和从业人员以及不文明游客进行曝光，在社会上引起强烈反响。

41. 首次开展“不合理低价游”专项整治。10 月 12 日，根据旅游产业链特征、上下游关系，围绕“组团社和地接社同步治理、目的地和客源地同步整顿、线上线下旅游企业同步清查、出境游市场与国内游市场同步规范、集中整治与常态机制同步推进”要求，“全国一盘棋”开展“不合理低价游”专项整治行动。2016 年全国共查处旅行社违法违规案件 1324 起，行政处罚 819 家旅行社，使市场整治由“面上撒网”向“精准打击”转变。

42. 首次开展“中国十大精品旅游线路评选”。10月12日，组织开始“中国十大精品旅游线路评选”活动。通过评选，调动社会公众和地方部门的参与热情，整合全国旅游资源，丰富了多元旅游产品，创新了旅游宣传模式，树立了旅游精品意识，是从更广范围、更宽视野、更高层次上思考、重塑中国旅游业品牌力、号召力、竞争力的重要举措。

43. 首次在香港举办“美丽中国—冰雪旅游”反季宣传推广活动。 10月14日，组织黑、吉、辽、新、蒙等五省区在港反季节推介当地冰雪旅游资源，丰富了旅游产品供给。

44. 首次组织5923家旅行社公开承诺“诚信经营”。11月2日起，组织全国20强、百强和利税20强旅行社企业联合倡议诚信经营，先后5923家旅行社公开承诺“诚信经营”、抵制“不合理低价游”。

45. 首次会同相关部门编制完成《“重走长征路”国家红色旅游精品线路专项规划》。11月4日，启动编制《“重走长征路”国家红色旅游精品线路专项规划》。这是国家旅游局启动完成的第一个主题线路规划，也是纪念红军长征胜利80周年重要内容，根据中央红军长征重大历史事件和关键节点，共确定9条“重走长征路”红色旅游精品线路。

46. 首次推出16个空中游览试点项目。11月7日，会同国家发改委、民航局、体育总局印发《关于做好通用航空示范推广有关工作的通知》，正式开启通用航空旅游试点工作，标志着中国的通用航空发展正式起步。

47. 首次会同国家发展改革委等11个部委联合印发《关于促进自驾车旅居车旅游发展的若干意见》。11月7日，11部委明确，要重点解决我国自驾车旅居车上牌上路、营地用地、规范管理、扶持政策等方面的问题。

48. 首次编撰《中外旅游百科全书》。11 月 8 日启动编撰的《中外旅游百科全书》，是由国家旅游局领导与学术机构负责人共同指导，委托专业学术机构，整合国内旅游界的力量，梳理和总结旅游发展的“中国经验”，向世界传递旅游业的“中国声音”。同时，也向世界学习借鉴建立更为科学规范的旅游学科体系，研究基础、广泛的旅游经验和旅游理论，从而更好地指导实践。

49. 首次会同农业部开展国家现代农业庄园创建工作。11 月 17 日，两部门明确，到 2020 年全国建成 100 个国家现代农业庄园，基本形成布局科学、结构合理、特色鲜明、效益显著的庄园经济带。

50. 首次举办全国厕所技术创新大赛。11 月 19 日，与比尔及梅琳达 · 盖茨基金会联合举办第一届全国厕所技术创新大赛、厕所革命大型展览，以及中国厕所革命研讨会，加强了厕所革命的国际合作。

51. 官方微博“@ 中国旅游”首次入选 2016 中国“互联网 + 政务”50 强优秀案例。11 月 22 日，中国社会科学院发布国家旅游局官方微博“@ 中国旅游”入选 2016 中国“互联网 + 政务”50 强优秀案例。该微博累计发布微博 8277 篇，共有粉丝 5418715 人，话题阅读量最多的达 900 万人次，其中“五一旅游你去哪”和“一句话寄语首届旅发大会”话题，先后在新浪微博社会榜单中排名第 14 位和第 21 位。

52. 首次与 23 个部委会签《国务院办公厅关于促进乡村旅游持续健康发展的若干意见（代拟稿）》并于 11 月 23 日呈报国务院。23 个部委提出，到 2020 年全国乡村旅游年接待游客超过 40 亿人次，乡村旅游总收入 2.3 万亿元，带动全国约 15% 的农民受益。

53. 首次组织实施全国统一的导游资格考试。11 月 25 日，组织对 15 余万人和 1 万人无导游证领队进行导游资格考试，同时组织全国中、高级导游进行了等级考试。

54. 首次召开全国工业旅游创新大会。11 月 28 日，在山东省青岛市召开全国工业旅游创新大会，宣布山东省青岛啤酒等 22 家单位为首批国家工业旅游创新单位。

55. 首次联合教育部等 11 部委发布《关于推进中小学生研学旅行的意见》。11 月 30 日，11 部委对研学旅行内容提出系统性要求，从研学旅行基地、精品游线网络和活动课程建设等方面，成体系地规范研学旅行建设内容及评价体系、安全责任体系等。

56. 首次开展"重走长征路"红色旅游主题宣传活动。为贯彻习近平总书记在纪念长征胜利 80 周年大会上的重要讲话精神，成功举办"重走长征路"红色旅游主题活动，活动从 12 月 1 日开始，历时一个月，途经 11 省 52 市，19 家中央主流媒体跟踪报道，上万名游客和群众参与其中，引发全社会的广泛关注。

57. 首次开展史上最严厉的 A 级景区整治工作。12 月 5 日，对 367 家 4A 级及以下景区进行处理，其中 107 家景区被摘牌、降级，受到各类处理的 4A 级景区达 255 家，占全国 4A 级景区总数的 9%。首次覆盖全国 31 个省、自治区、直辖市和新疆生产建设兵团。媒体称这是中国旅游部门掀起的一次最严厉的景区整治行动。

58. 首次与国家发展改革委联合印发《关于实施旅游休闲重大工程的通知》。12 月 5 日，两部门明确加强旅游基础设施和公共服务设施建设，实现交通畅通，适应人民群众消费升级和产业结构调整要求，促进经济平稳增长和生态环境改善。

59. 首次编制完成《浙闽皖赣国家生态旅游协作区总体方案》，

并于12月5日呈报国务院审批。这是我国旅游区域合作的重大创新，是贯彻落实《旅游法》要求、推进跨区域协同发展的成功典范。

60.《“十三五”旅游业发展规划》首次成为国务院专项规划。12月7日，国务院印发《“十三五”旅游业发展规划》。确定了“十三五”时期旅游业发展的总体思路、基本目标、主要任务和保障措施，是未来五年我国旅游业发展的行动纲领和基本遵循。

61.旅游系统劳模先进代表座谈会首次在中南海召开。12月12日下午，国务院副总理汪洋在中南海主持召开全国旅游系统劳模先进代表座谈会，并做了重要讲话。12日上午，人力资源和社会保障部、国家旅游局在人民大会堂共同举行表彰活动，表彰全国旅游系统先进集体81个、劳动模范95名、先进工作者45名。

62.首次与交通运输部共同制定《关于深化供给侧结构性改革促进交通运输与旅游融合发展的若干意见》。12月15日，两部门围绕完善旅游交通网络体系、健全旅游服务功能、提升旅游运输服务质量和保障措施提出相关意见。

63.首次会同国家体育总局印发《关于大力发展体育旅游的指导意见》。12月22日，两部门提出要加快形成结构合理、门类齐全、功能完善的体育旅游产业体系和产品体系，到2020年，体育旅游总人数达到10亿人次，总消费规模突破1万亿元。

64.首次编制《“十三五”全国旅游公共服务规划》《“十三五”全国旅游信息化规划》和出台《旅游城市游客中心》标准。12月26日，完成规划编制工作。通过标准化、信息化手段引导，推动各地加快旅游公共服务体系和城市游客中心的建设，加快旅游公共信息服务、旅游交通集散服务、旅游便民惠民服务等建设，有效提升旅游公共服务质量和水平。

65. 首次与交通运输部共同印发《关于促进交通旅游服务大数据应用实施方案》。12 月 26 日，两部门明确建立跨部门数据共享机制，完善行业信息资源目录，推进行业数据资源开放，开展数据融合应用试点等 9 大任务。

66. 首次发起设立中国旅游产业基金，并于 12 月 28 日呈报国务院审批。设立中国旅游产业基金，着眼于搭建国家级旅游投融资平台，推动骨干旅游企业牵头发起设立中国旅游产业基金，基金总规模 500 亿元，首期 100 亿元。

责任编辑：王　丛
责任印制：冯冬青
版式设计：何　杰

图书在版编目（CIP）数据

推进全域旅游　实施三步走战略／国家旅游局编．-- 北京：中国旅游出版社，2017.2（2017.12 重印）
ISBN 978-7-5032-5776-6

Ⅰ.①推… Ⅱ.①国… Ⅲ.①旅游业发展－发展战略－中国 Ⅳ.①F592.3

中国版本图书馆 CIP 数据核字（2017）第 024666 号

书　　名：推进全域旅游　实施三步走战略
作　　者：国家旅游局编
出版发行：中国旅游出版社
（北京建国门内大街甲 9 号　邮编 100005）
http://www.cttp.net.cn　E-mail:cttp@cnta.gov.cn
营销中心电话：010-85166503
经　　销：全国各地新华书店
印　　刷：河北省三河市灵山红旗印刷厂
版　　次：2017 年 2 月第 1 版　2017 年 12 月第 2 次印刷
开　　本：720 毫米 ×970 毫米　1/16
印　　张：13.5
字　　数：120 千
定　　价：42.00 元
I S B N　978-7-5032-5776-6